黙々

聞かれなかった声とともに歩く哲学

高秉權《コ・ビョングォン》

影本剛 訳

묵묵

침묵과
빈자리에서
만난 배움의 기록

明石書店

本書の出版にあたっては、韓国文学翻訳院から翻訳・出版助成の支援を受けた。

プロローグ　遥かな東方の空

1

黙々。音のない空っぽの言葉なのに、どうしてこんなにどっしりとしているのか。ここに埋めておいたおかげではためきはしたが、飛んでいくことはなかった。ただ歩こう。騒がずに。心に風が吹くたびに結び目を幾度も結んだ。確信を持ったからではない。今ほど確信がなかった時はない。過ぎてきた道に打ちたてるものがなく、歩んでいく道が鮮明でないにもかかわらず本を出すというのか。これまで発表してきた文章をまとめたものなのに、この考えが頭から離れない。

少なくとも一〇年前の私は道に対する確信があった。自負心があり、希望があった。研究者共同体のなかで展望があったし、現場人文学の活動で知による救いの可能性を見た。私たちの解放はパンのみならずバラを必要とし、人文学が貧しい人びとにとって少なくともバラの花束になりうると信じた。もちろんその時の展望が幻覚だったとは思わない。ただここ数年の経験で気づいたことは、希望ゆえに行うことは絶望に対して脆弱だということだ。希望が希望としてのみ残り、時が過ぎれば、ある日、人びとは褪《あ》せて変色したその二文字を絶望と読む。

　希望によって膨らんだが絶望によって消えた場所、そこには何もないと思っていた。しかし空っぽの場所と空っぽの言葉があった。わたしは、何のために、何ゆえに歩んだのか。目的と理由を失い、長い間じたばたしていた。しかし「〜のために」と「〜ゆえに」を消していくと、沈黙が声を発し、空席が姿を見せる。希望が目を奪い、絶望が目を閉じさせようとした場所。いったいこの沈黙と空席にどのように対するべきなのか。よくわからない。それでもこのような言葉は言いたい。道標を失った場所で道が見える。ああ、私はこのような道の上にいるのだ。

　道の果てに何があるのか、いったい私たちはどこに向かって歩むのか、これがなぜ重要でないというのか。とはいえ、道の果てではためく旗や終着地に対する壮大な噂が、どれほど今の歩みを壊したのかもわかるだろう。いきなりやってきた老眼のように、遠いところを見ていると、いざ近い場所が見えないことを知ることになった。遠いところの噂に耳を傾けようとしていたので、横で袖を引っぱり言葉をかける存在に気づけなかった。

しかし希望も絶望もなしに歩むことはどれほど難しいことか。魯迅の「希望」のある一文を読み、しばらく立ちどまった。ハンガリー革命の詩人ペテーフィ・シャーンドル（Petőfi Sándor）の詩を引用し、そこに加えた一節。「人生は痛ましい。あの大胆で不屈なペテーフィでさえ、最後には暗夜に向きあって足をとめ、はるかな東方を振り返ったのであった」[*1]。ああ、勇敢な詩人も真っ暗の夜道を歩きつつ東方の空を見上げたのか。人を惑わし青春を奪うからと「希望」に悪態をついた詩人も、一度は日が昇る方を見上げたのだ。しかしかれは暗い東方の空に絶望しなかった。「絶望が虚妄であるのは希望とまったく同様だ」[*2]。

かれのように黙々とすることはできなかったが、世界に真の闇道はないということはわかる。道は絶望した人びとにとってのみ闇である。息を深く吸いこみ正面を

＊1　魯迅、木山英雄・飯倉照平訳「希望」『魯迅全集』三巻、学習研究社一九八五、三一頁。
＊2　前掲、三一頁。

注視すれば、闇は薄まる。ゆっくり歩いてみれば道が少し見え、見えるぶんだけ歩いてみれば、またそれだけ開ける。このように言いつつも、その上それほど暗くもない道を歩みつつも、わたしの軽い頭は、いまでも依然として東方へと戻る。どうか、わたしのなかの賢さが無駄な希望をつくりだしませんように。どうか、わたしの愚かさが黙々と自分の道を行くことを！

2

ここに編んだ原稿は、ほとんどがノドゥル障害者夜間学校（以下、「ノドゥル夜学」）で発行している雑誌『ノドゥルの風』と日刊紙の『京郷新聞』に連載したものだ。『京郷新聞』のわたしのコラムの題名が「黙々」だった。「黙」という文字は音が出ない状態を指す。「黒」と「犬」が合わさった文字で、犬が静かに人に従う姿に由来するという。「黒」が発音を、「犬」が意味を表す。

しかし「黒」と「犬」、二つともわたしにとっては大事だ。何よりも二つが一文字の「黙」をなしているという点でそうである。「黙」は暗い夜道にわたしとともに歩んでくれる存在があることを気づかせてくれる。わたしに居場所をさしだしてくれたノドゥル夜学は、夜道を学びの場所にするところだ。ここに数年出入りしてきたにもかかわらず、わたしの学びがこれほど遅れたのは、おそらく聞かなかったからだろう。光を見ようとして騒ぎたてた寓話のなかの愚かな哲学者のように（かれは闇を耐えることができない者にやってくる幻覚の最初の犠牲者であっただろう）、わたしは闇のなかから抜けだす方法を考えただけであり、一度も闇を注視することができず、そこから何かを聞きとるという考えを持たなかった。

実際はわたし自身が聞くことができなかったのに、決めつけでかれらは語ることができない存在なのだと宣言してしまった。わたしのなかの賢い哲学者が、自分の聞けないことをかれらの語れないことに取りかえてしまったのだ。しかし何十回でも同じ単語を繰りかえし語ってくれた夜学の学生たちのおかげで、ようやくいくつかの言葉を聞きわけられるようになった。そしてわかったことが一つ。世界に声なき者はいない。ただ聞かない者、聞こうとしない者がいるだけだ。

最近ある友人が、わたしのそばで一匹の犬が音もたてずに歩いていることを知らせてくれた。人間の横を歩む一匹の犬。暗い路地で目を合わせてから、静かに駐車してある車の下へと体をかがめていく一匹の猫。あの赤い肉と裂かれた身体が陳列された場所で明るく笑う牛、豚、鶏。なぜ犬は音を発さず、猫は闇に隠れ、牛、豚、鶏は悲鳴すら奪われたまま肉屋の看板の上で笑っているのか。もう一度言うしかない。声なき者はいない。聞かない者、声帯を奪った者がいるだけだ。

夜道、沈黙には背負いきれないほどの音がつまっており、空席にはありとあらゆる存在たちがあふれかえる。この学びの場所でわたしはどうすべきなのか。バラを持ってきたので踊る番なのか。果たしてわたしはこの運命とともに踊ることができるのか。

黙々——聞かれなかった声とともに歩く哲学　目次

第一部　希望なき人文学

ノドゥル障害者夜学の哲学教師

ノドゥル障害者夜間学校（ノドゥル夜学）の哲学教師。わたしの現在の肩書きだ。夜学でなければこのような肩書きを持てなかっただろう。哲学の学位も教員免許もない人間が哲学教師だなんて。もちろんわたしだけではない。ここの教師たちはほとんどが教員免許を持っていない。教える科目も一定ではない。前学期の科学教師が次の学期は歴史を担当することもよくある。

それにもかかわらず、うまくやりこなすのだ。学識が広いからではない。おかしな言い方だが「仕方がなく」そうなのだ。正式な学校ではないので「どうせ」正式な教師は来ない。仕方ないじゃないか、どうせ、いっそこうなったのなら、何か方法があるわけでもないし、やるだけやって、失うものもないし。このような言葉がわたしたちを学生の前に立たせるのだ。

「夜学」は一般的に学齢期に学び逃した成人たちが遅れて学校の勉強をするとこ

ろだ。だからおおよそ学校の編制に従う。国語、英語、数学、社会、科学、歴史などの教科を学生たちに合わせて授業をする。哲学の授業は八年前に中等クラスの国語の一学期の授業として初めて開設され、その後全体選択科目に変更された。月曜の夜、学生たちは哲学、障害学、神話、障害者権益擁護活動のうち一つの授業を選択できる。高卒認定試験〔ないしは中卒認定試験〕を準備するには大して役に立たない科目が、かれらの選択授業に並んでいるわけであるが、幸いなことにノドゥル夜学は高卒認定試験にまい進する場所ではないので、入試の圧力はない。

ノドゥル夜学を理解しようとすれば、高卒認定試験の塾よりは一九七〇～八〇年代の労働者夜学や貧民夜学を思いだすほうがよいだろう。最近はあまり見かけないが、当時はこのような夜学が本当に多かった。夜学は貧しさゆえに学校に通うことができなかった人びとのための「学校の外の学校」だった。基本的に貧しい人びとの学びに対する情熱を満たすための学校であったが、その学びがかれらを貧しさへと追いこんだ現実にまで至れば、自然に運動ともつながった。だから当時の夜学の学びは覚醒に近く、覚醒は運動に近かった。

一九九三年に設立されたノドゥル夜学も同じである。今でも大きく改善されたわけではないが、当時、障害者たちが経験する政治的・社会的・経済的・道徳的差別と排除の酷さは他集団と比べ物にならなかった。ノドゥル夜学を設立したのは青年障害運動家たちだ。かれらは障害者を組織し意識化するための手段として夜学をつくった。しかし実際には、夜学で変革的社会理論を教育したのではない。授業は他の学校と変わらなかった。学生たちは国定教科書で勉強し、高卒認定試験の準備をした。

それにもかかわらず、ノドゥル夜学はとてつもない覚醒の空間になった。教科書にそのような内容が書いてあったからではなく、学校経験自体がかれらをそうさせたのだ。障害者という理由で長い間家に閉じこめられていなくてはならず、いざ就職をしても工場寄宿舎の外に出られなかった障害者たちが学校生活を経験し、自分の生の悩みを打ちあけられるようになったこと自体がとてつもないことだった。覚醒は教師たちにも起こった。教師として参加した大学生たちの多くが障害者の話を聞き、障害運動家ないしは活動家へと変貌していった。

一九九九年、ノドゥル夜学は重大な変化を経験した。きっかけはとても小さなところから始まった。夜学は当初、ある障害者雇用企業の労働者を対象にしていた。

しかし、しばらく経つとあちこちから学生が訪ねて来始めた。そうすると学生たちの登下校手段が問題になった。遠いところから来る重度障害者は救急車の助けを借りなければならない時もあった。

その時ちょうどある企業から「障害者の日」にワゴン車の寄贈をうけた。夜学はこのワゴン車を使ってさらに多くの学生を各所から乗せて飛びまわった。ノンステップバスなどの移動手段がなかった頃、教師は学生を登校させるだけで毎日四時間近くを使い、授業後には深夜まで学生を乗せて家に送った。

新しい学生たちがどんどん入り、移動はさらに深刻な問題になった。夜学は学びに対する熱望を生み、その熱望は再び移動権[*1]に対する要求を生んだ。そうしている時、一人の夜学の学生が地下鉄駅の階段に設置された車いすリフトから転落する事

＊1　「移動権」とは言葉どおり、交通機関や道路などを移動する権利であり、障害の社会モデルに基づいて主張された。つまり「バリアフリー化をして下さい」というお願いではなく「階段の段差に私を縛りつけて移動できない状態におくな」として、「して下さい」ではなく「するな」という形式で主張された。本書第四部「裁判以前に下された判決」も参照。

件が起こった（別の駅では障害者が車いすリフトから転落して死亡する事件も起こった）。このことは学びに対する熱望と移動権の制約に対する怒りでいっぱいになった夜学の人びとの胸に火を放った。

この時からノドゥル夜学は本格的な街頭闘争を開始した。学生と講師はバスの行く手を塞ぎ、線路に自分の体を縛りつけた。社会全体を移動させることなしには学校すら行けないということ、社会全体を新しく学ばせることなしには夜学での小さな学びすら不可能だということ。学生になるためにはまず闘士にならなければならないということ。これが現在のノドゥル夜学の精神だ。

考えてみれば、「夜学」は興味深い形式の学校だ。それは学校なき場所につくられた学校だ。しかし夜学は学校にはないものがある学校でもある。西欧で「学校」という言葉は「余暇」を意味するギリシャ語の「スコーレ（skhole）」に由来する。学校は衣食住の生の現場から一歩離れた学びの場であった。しかし夜学はそれと反対に、生の現場、生産現場に位置づけられた学校だ。一般の学校が学びのために生と一定の距離を置く場所であるならば、夜学は反対に学びを生の切実さと連携させる場所だ。

ノドゥル夜学の人びとはこの点をいつも注視させる。ノドゥル夜学は明らかに夜に開かれる学校、つまり「夜学」であるが、ここの人びとは原野に開かれた学校という意味で「野学」とも呼ぶ。「ノドゥル」という言葉自体が、農夫が働く生産現場である「ノドゥル原野」の縮約語である。ノドゥル夜学のウェブサイト（http://nodl.or.kr）の紹介文にもあるように、かれらは夜学が生と分離された「夢見る拠り所」ではなく、生を「耕す拠り所」、つまり生産の現場でなければならないと考える。

わたしがノドゥル夜学を初めて訪れたのは二〇〇八年だ。当時、大学では人文学が死んでゆくという言葉があふれかえっていたが、活動家たちのあいだでは人文学の勉強が代案のように浮上した時期だった。広い意味の貧しい人びと、たとえば受刑者、ホームレス、性売買女性、貧民などの自立をサポートしてきた活動家たちは、人文学に何らかの希望を探していた。そのようにして人文学プログラムがいくつもつくられていった。

ここにはエル・ショリス（Earl Shorris）の『希望の人文学』（イ・ビョンゴン他訳、イメジン、二〇〇六、原題 *Riches for the Poor: The Clemente Course in the Humanities*）が大き

な影響を及ぼした。ショリスによると、貧しい人びとは包囲されて後がないと判断する瞬間、狩人に追われる動物たちが窮地に追いつめられた時にそうであるように、自虐的な行動をする。家族や恋人に暴力を行使し、後には自らを破壊する行動をとる。

このような状況に陥らないためには、貧しさを個人ではなく社会の問題として問いかけることができなければならない。政治市民として問題を公論化するということだ。そうするためにはかれらにロゴス、つまり言語が必要だ。ところでショリスによれば、人文学の勉強が与えることができるのはまさしくこれだ。これは当時活動家たちが漠然と感じていたことだった。「パン」だけを投げかけても問題は解決できず、何か異なるものが必要だということ。『希望の人文学』は、それは「人文学」なのだと言ってくれた。

二〇〇八年、ノドゥル夜学のキム・ユミ先生が〔研究共同体である〕研究空間スユ＋ノモ（以下、「スユ＋ノモ」）で勉強していたわたしを訪ねてきた。その時の心情について、キム・ユミは教師日誌に次のように記した。「飛び降りようと屋上に三度も登ったという自殺未遂者、三〇歳になったら死のうと死ぬ日を予め決めておく時限付きの人生もノドゥルにある。「そんなに死にたいなら死んでもいいですよ」という言葉が喉元まで迫ってきたが、本当に死んでしまうのではないかと怖かった。障害がある人に対して加えられる差別、排除、抑圧、疎外の水準を知っているから、ただ愚かだとたしなめることもできなかった。重要なのは、かれらの話を聞くと、その核心にあるのは「わたしはよく生きたい」という点だ。（……）何かが必要であり、だから探すことが人文学だ」。キム・ユミは障害者たちの「これ以上生きていけない」という言葉を「わたしは本当に生きたい」に変換して聞きとり、だから既存の勉強や闘争とは異なる何かが必要だと考えたのだ。

このようにしてスユ＋ノモとノドゥル夜学がともに行う現場人文学プログラムが準備された。最初の二年間は多様なテーマで月に一度の人文学特講を開いた。東洋・西洋の多様な思想家たちを紹介し、美術、映画、写真などについて勉強した。二〇人ほどのスユ＋ノモの人文学研究者たちがここに参加した。そして二〇〇九年一月から月例特講とは別の人文学集中セミナーを開設した。一度ずつの講義を聞くことを超えて、テクストを直接読んでみようという趣旨だった。研究者と講師、学生たちがともに古典を読んだ。

しかしいくつかの問題が生じた。講師が毎回移りかわって進められる月例特講は持続性がなく、集中セミナーには障害者学生の参加が少なかった。セミナーに来た学生たちも直接テクストを読むことをとても難しがった。学生たちに絶対必要だと思って導入した人文学プログラムから学生たちが抜けていくという問題が生じた。

しかしノドゥル夜学は退かなかった。むしろ人文学の勉強をより強化する方法を探した。その翌年の二〇一〇年からは、そもそも人文学を正規科目として編成してしまった。もちろん教師たちのあいだでは憂慮の声も少なくなかった。検証されていないプログラムで既存の授業体系を揺るがすことも問題だし、何よりも苦楽をともにしてきた夜学共同体に、夜学自体の研修プログラムすら履修していない人文学者を教師として投入することも問題であった。しかし熾烈な議論を経て、キム・ユミ先生とわたしが共同で進行する授業が開設された。

最初は簡単ではなかった。テクストも簡単ではなかったが、さらに大きな困難は、講師であるわたしが学生たちの言葉を全く聞きとることができない点にあった。学生たちが体をよじらせなんとかひねり出した言葉を、わたしは聞きとることができなかった。さらに学生たちの生に対しても知ることができなかったので、他の教師たちのように深い悩みを分かちあうこともできなかった。しかし時間を経るにつれ、またいくつかの契機を経るなかで、授業は活気づきはじめた。時間が流れるにしたがい、テクストの難解さは別に問題にならなくなった。むしろ授業で一緒に読んだニーチェの『ツァラトゥストラはこう言った』のいくつかのエピソードに、学生たちは全く思いもよらない反応を見せてくれた。最初の学期が終わった時、学生たちは人文学の授業を強く支持してくれ、哲学授業は最終的にノドゥルで生きのこった。

ノドゥル夜学の現場人文学に参加するなかで、わたしは大きく二つのことに気づかされた。一つは人文学の勉強を人文分野の知識の蓄積と同一視してはならないということだ。現場人文学を人文学者が積みかさねてきた知識を貧しい人に伝達するような知識福祉サービスとして考えてはならない。人文学者が福祉施設に慰問品を送るように持ちこむ知識は、貧しい人の生に対して役に立たないだけでなく、道徳的違和感だけをもたらす。

そして貧しい人びとが現場で体験する挫折は、知識と情報の不足から生じたものではない。たとえるならば、それは照明の問題であって事物の問題ではない。知識と情報量を増やすからといって生の姿勢が変わるわけではない。知識の蓄積がただちによい生へと繋がらないことは人文学者自身の生が示している。さらに障害者たちとともに勉強していると、障害者を差別し排除する制度と慣行が何よりもわたしたちの時代の人文知識とかみ合っていることを知ることになる。そして人文学者自身がそのような知識の生産者だということも知ることになる。

以前、ノドゥル夜学のホームページにはメキシコのチアパスの先住民女性が言ったという言葉が書かれていた。「もしあなたがわたしたちを助けにここに来られたのであれば、あなたは時間を浪費しているのです。しかしもしあなたがここに来た理由が、あなたの解放がわたしの解放と緊密に結びつくからであるならば、ともに働いてみましょう」。現場人文学は学びに「ともに」参加する勉強法であって、一方的に知識をモノのように伝達する勉強法ではない。

もう一つ気づかされたことは、人文学を「希望」のようなものから引きはがさなければならないという点だ。より正確に言うなら、勉強を何かのための——それがたとえ「希望」であるとしても——手段や手立てとみなしてはならないということだ。一言で言うなら、人文学の勉強において「〜のために」をなくす必要がある。一〇年前、現場人文学を始める時は「希望の人文学」をスローガンに掲げたが、「希望」ゆえに行う勉強は「絶望」にあまりにも脆弱であった。人文学が貧しい人びとの希望の武器になりうるという考えすら越えていかなければならない。

一昨年、ノドゥル夜学の火の車組（中等クラス）のクラススローガンが「仕方がない」だった。「仕方がない」という言葉を、誰かは諦める時に口にするが、誰かは決して諦められない時に口にする。なぜここまで力を込めて夜学に出てくるのかという問いに、そしてなぜそのように体をケガしてまで闘争するのかという問いに、ノドゥル夜学の人びとは「仕方がない」という言葉をよく言う。どのようにであれ「生きぬかなければ」ならないからだ。生を諦めるのか、生きぬくのか。わたしは人文学の勉強の領域はここにあると考える。どのようにであれ生きぬかなければならない、それも「よく」生きぬかなければならないという自覚、生に対するそのような態度、そして姿勢のようなもののことだ。これまでの一〇年、ノドゥル夜学における人文学の勉強は、わたしにそれを気づかせてくれた。

言葉の限界、とりわけ「正しい言葉」の限界について

二〇一七年の冬にスユノモ104[*2]で開かれた発表会で、わたしは自分の言葉を聞いた。わたしが吐きだした言葉を、他人が差しだす言葉として再び聞いたのだ。発表者であった同志社大学の冨山一郎先生は、わたしが『哲学者と下女』に書いた言葉を声に出して読みあげた。「正しい言葉はひたすら正しい言葉であるのみだ。それがわたしのものになるためには、わたしのなかで再び体験されなければならない。わたしがわたしの仕方で体験しなかった言葉とは、ただ単に宙を漂う情報に過ぎない。世間には相も変わらず正しい言葉を探し求める人びとが後を絶たないが、わたしは世間に正しい言葉が不足しているとは思わない。ただ、それがあてもなくあちこち漂流しているだけだ」。[*3]

「正しい言葉はひたすら正しい言葉であるのみだ」。それはわたしの言葉であった

が他人の言葉であった。ともすればわたしの言葉である以前から他人の言葉だったのかもしれない。ともかく他人が差し出してくれたおかげでわたしは自分の言葉を再び聞いた。そしてじっさいにこの文章を書いた当時には考えつくことのできなかった、しかし明らかにこの文章を書いた当時のわたしに大きな影響を与えたであろういくつかのことを思いうかべた。

「正しい言葉はひたすら正しい言葉であるのみだ」。そもそもこれは言葉を聞く人びとに向けて言った言葉だった。いくら正しい言葉、よい言葉を聞いたとしても、その言葉をわたしのものとして声に出してみることがない限りにおいて、それはただ正しい言葉、ただよい言葉に留まる、という趣旨であった。語る人の立場から聞

＊2　二〇〇九年に「研究空間スユ＋ノモ」は複数の集団に分かれた。そのなかで「スユノモ」の名前を用いたのは「スユノモN」、「スユノモR」などがあった。「スユノモN」は二〇一七年に「西橋洞人文社会研究室」と分かれ、「スユノモ104」を名乗ることになった。

＊3　高秉權、今津有梨訳『哲学者と下女――日々を生きていくマイノリティの哲学』インパクト出版会、二〇一七、二〇四頁。

く人が向きあうことのできる限界を指摘したのだ。しかし冨山先生がその言葉を再び差しだした時、わたしが思いうかべたことは全く異なった。この言葉と関連して私が思いうかべた諸体験は、一様に聞く人ではなく語る人として感じた言葉の限界であった。

最初の記憶は二〇〇八年の現場人文学に参加した時のことだ。当時わたしは貧しい人びとにただちに必要なものは「パン」ではなく「バラ」だという言葉に共鳴した。社会から追放された人びとが社会に再び入ろうとする時に必要なものは何か。自立プログラムはほとんど資格取得と金融支援に焦点を合わせていた。しかし現場の活動家たちは貧しい者たちに「パン」だけを与えることは悠長なことだと述べた。自立のためには「お金」以前に「内面の力」が必要であり、自分の問題をみんなの問題として公に論じる力、とりわけ「言葉」の力が必要だと述べた。

しかし現場人文学に参加して一年ほどたった時、わたしは自分が悠長に「言葉」だけを投げかけていたと気づいた。サンタクロースがプレゼントを投げこむように、貧しい人びとに人文知識を伝えていた。限界はすぐあらわになった。このような勉強は生を変えることができるのか。誰よりも講師であるわたし自身がそれを確信できなかった。貧しい人びとが苦しむ理由は大学を卒業できなかったからではないだろう。ならば大学における授業と変わることのない知識の伝達がいかなる力を発揮するというのか。

そのような状況においても道を探しだそうとしたのは貧しい人びとであった。かれらは講師の伝えようとする知が自分の生のどの地点に該当するのかを探しだそうと苦労した。「かつてわたしにこのようなことがあったが、あなたが言うことはそれと関係したことなのか」。あるいは「わたしにこんな悩みがあるのだが、勉強をたくさんしたあなたであればどうするのか」。質問はすぐに人生相談へと変わったりもした。

「知は生を救えるか」。その年の冬、わたしはこのような題名の文章を書いた。わたしは知を通した生の救いを信じることができなかった。誰よりも人文学者自身にとってそうであった。貧しい人びとどころか人文学自身は知から救いを得たのか。その時、わたしは「正しい言葉はひたすら正しい言葉であるだけ」ということに気づいた。いくら正確で正しい言葉だとしても、それは流通する情報以上ではなかった。正しい言葉はギアが外れて空転するエンジンのように空回りした。

二つ目の記憶は、二〇一〇年、ノドゥル夜学で哲学の授業をしていた時のことだ。最初の学期にわたしはニーチェの『ツァラトゥストラはこう言った』の序文と第一部を学生たちと読んだ。初回からとても大変だった。ニーチェの生涯だけを簡単に紹介したのだが、開始五分もたたないうちに何人かは眠りはじめ、何人かはケータイをいじっていた。授業時間に喋ったのはわたしだけで、わたしの言葉をはっきりと聞いたのもわたしだけだった。言葉はわたしの口から虚空を経てわたしの耳に入ってくる自閉的回路に閉じこめられた。この時に感じた。言葉は言葉であるだけだと。

幸いにこのもどかしい状況を打開する出来事が生じた。自閉的な言葉の回路を壊した出来事は、興味深いことにニーチェが「身体」を強調した部分で生じた。とりわけ学生たちは「心中には猛獣が棲んでいる」[*4]などの言葉に強く反応した。実際にニーチェが言おうとしたこととは若干異なったが、その表現に接した学生たちの身体が興奮した。とつぜん筋肉が硬直し、悲鳴のような叫びが弾けでて、車いすがガタガタ揺れた。当時、わたしがなにか特別なことを言ったわけでもなかった。わたしの言葉にはそのような身体反応に訴えるメッセージは込められていなかった。言葉からは予測できず、言葉をもって統制できない身体の動き。それは障害者として暮らしてきて体験したことを記憶する身体の自動反応であった。

身体の自動反応。ここでわたしは言葉の限界を見た。身体と言ったが、それは一種の情緒反応（情動 affect）であった。何らかの緊張、興奮、凝縮のようなもののことだ。ノドゥル夜学の授業を通してこのようなものの重要性を知ることになった。喜んだり悲しんだり怒ったり恐れたりする時、わたしたちのなかには何らかの緊張が生じ、それが身体で表現される。口びるがふるえ、肩の筋肉が凝り、手に汗がにじむ反応。障害者の学生たちの場合には、そのようなものがあまりにも強く、体が大きくよじれもした。

言葉よりも先に生じ、もっと言えば言葉を聞く前にも空気を先に読む何かがある。それは言葉を言う前に口びるをふるえさせ、いくつもの穴から汗を押しだす。語る時だけでなく、言葉を聞く時もそうである。まだ話者の言葉が始まっていないにも

＊4　ニーチェ、氷川英廣訳『ツァラトゥストラはこう言った』上巻、岩波文庫、一九六七、七一頁。

かかわらず、聴者の身体はその言葉を予め聞いたかのように緊張する。「言葉以前の言葉」を聞いたと言うべきか。言葉の媒質である空気を感知するのだ。ためらいと緊張。言葉で表現できず、言葉が統制することもできない領域がある。これが言葉の限界についてのわたしの二つ目の経験だ。

三つ目の記憶は二〇〇九年に研究空間スユ＋ノモが壊れた時の記憶だ。これは「言葉の限界」でもあるが、「限界へと追いこまれた言葉」でもある。一〇年続いてきた研究共同体が壊れた時、荒い言葉が行き交った。しかし言葉の戦争が始まる前に、いつからだったか「正しい言葉」の専制的支配が持続していた。いつからだったか誤った言葉、中身のない言葉、意味のない言葉、ユーモラスな言葉が辺境へと追いやられたり、消えたりした。全体の集まりでしゃべる人の数は急激に減った。わたしを含む少数の人びとだけが大きな声で、長くしゃべった。常に「正しい言葉」、「まっとうな言葉」だけをしゃべる人びとである。

正しい言葉がかくも多くあふれかえったが、共同体が大きな危険にあるということを、みんなが感じていた。しかし危険を感知すればするほど、正しい言葉はさらに多くなった。言葉は次第に法に似通っていった。そして正しさ(right)と権利(right)

を糾して争う言葉が横行すればするほど、わたしたちの共同体は国家に似通っていった。

政治哲学者たちが指摘するように、法とは主権の言葉だ。共同体が国家に似通っていくことと並んで「正しい言葉」は「律法」へと似通っていく。わたしはここで「正しい言葉」の限界を明らかに目にした。だからわたしは抵抗の言語で叫ばれる時すら「正しい言葉」、「権利の言葉」を大して信頼しない。

言葉の限界、とりわけ正しい言葉の限界に関する三つの記憶を別個に思いうかべたわけだが、これらは実際密接に関連している。主権の言語としての正しい言葉が支配すれば身体が凍りつく。中身のない言葉、あきれるような言葉、誤った言葉の重大な機能はここにある。その言葉は雰囲気を溶かし、正しい言葉がもたらしうる否定的な効果（硬直性や退屈さ）を制御する。誰かの中身のない一言が、他の誰かが言葉を発せるように空気を柔らかくする。誰かのあきれるほど誤った言葉は、他の誰かにしゃべり出す勇気を与える。ともすれば仲間に対する命令になりうるような「正しい言葉」が友情に満ちた助言になりうるのも、このような言葉のおかげだ。もっと言えばこれらの言葉は、討論を通して一つの結論が導出される時も、その結論があまりにも整頓され過ぎないように欠点を残すだとか、少なくとも落書きくらいはしておく。

正しい言葉を制御し助けもするこれらが作動しない時、それゆえ正しい言葉がひたすら正しい言葉に留まる時、暴力が登場しうる。暴力は正しい言葉を弾圧するときにも動員されるが、わたしが体験した暴力的な状況は、おおよその場合正しい言葉をしゃべる側でつくりだされた。言葉をしゃべっても聞かない人びとが生まれ、言葉がいかなる変化もひき起こせないと判断する時、正しい言葉をしゃべる人びとは強制と暴力を動員してでも自分の言葉に力を込める。言葉自体が力を持たないから、言葉になんら魅力がないから、強制的に言葉を貫徹させるのだ。処罰の威嚇、とりわけ追放の威嚇が正しい言葉のそばに張りついているならば、暴力は後戻りできないほど進行していると言える。

もちろん逆の道もある。正しい言葉が「ひたすら」正しい言葉である状態を超える道。そのためには正しい言葉は正しくない言葉、中身のない言葉、ユーモラスな言葉と友情に満ちた関係を結ばなければならない。そして言葉を正しいものへと整えていく前に、言葉の媒質である空気、言葉が生じる環境をきちんと耕さなければならない。そしてさらに、言葉が生に密着し、生を誘惑するほどの魅力を持たなければならない。なによりも自分の言葉が自分の生とそのような関係を結ばなければならない。その時になれば正しい言葉はようやく正しい言葉になる。

「考えの多い二番目の姉さん」と哲学の成熟

現在わたしには一〇年答えを待っている問いがある。蔚山《ウルサン》のある高校生が投げかけたものだが、その高校生のふるえる声色まで心に残っている。二〇〇八年の冬の夜だった。講演のテーマは「現場と人文学」であり、聴衆のほとんどは教師たちだった。その日準備した原稿の題名は「知は生を救うか」だった。当時の刑務所での人文学講演の経験をもとに構成したものだった。講演会場には先生とともに来た高校生たちが何人かいたが、わたしに質問を投げかけたのも、そのうちの一人だった。

その時わたしは人文学と貧しい人びとの出会いに大きな期待をかけていた。実際に人文学の勉強の現場で、わたしはいくつもの肯定的なシグナルを目撃することもあった。わたしだけではなかった。蔚山の講演の前日にソウルで現場人文学のワークショップが開かれたのだが、そこはあたかも人文学の効能を証言する大会のようだった。ワークショップに参加した何人かの活動家たちの口から「金より人文学」

という言葉が飛びだした。

蔚山の講演でもわたしは伝道師のように現場人文学の可能性についてまくしたてた。ところが講演を終えて質疑応答も終わろうとしていた頃に、ある高校生がためらいながら手を上げた。言葉はすぐに出てこなかった。口にとどこおった言葉がなかなか出てこず、その目にはただちに涙がいっぱいになった。感情をなんとか押さえてから、かの女がわたしに問うた。「兄が知的障害者です。先生、知は兄の生も救えますか?」

問いの記憶ははっきりしているが、答えの記憶はそうではない。理由はわかりきっている。きちんと答えられなかったのだ。哲学の勉強についての考えをしどろもどろにしゃべったのだと思う。哲学の勉強とは知識の蓄積ではなく気づきであり、その気づきがもたらす変化であり、お兄さんにも何らかの変化が生じるならば、それがわたしが述べたいことなのだと。ほんとうにでたらめな答えだった。哲学がいかに兄に気づきを生じさせるのかと問うたのに、その気づきがまさしく哲学だなんて。そこにまた何かの話を付け足したように思うが、覚えていない。ただこれ以上質問を受けたくなかったわたしの恥ずかしい思いと、真摯にわたしを見ていたその高校生のまなざしは忘れられない。

そのようにその問いと別れたと思っていた。しかし本当は知っていた。そんなわけがないということを。これまで勉強してきたなかで、答えを得られなかった問いがそのまま去っていくことを見たことがない。しばし後方に退きはしても、答えを得られなかった問いは、問うために上げた手を、決して降ろすことはない。

その高校生とはそのように別れたが、その兄はいつからかわたしの前に別の人びとの姿で座っていた。ノドゥル夜学の授業を聞く学生のうち、少なくない人が知的障害者だ。身体障害や脳性まひを持つ学生とは、たとえ重度といえども授業進行に大きな困難はない。しかし知的障害を持つ学生の場合はそうではない。哲学科目を聞く学生たちの場合、相対的に知的障害が軽度の場合でも、わたしはよく壁を感じた。わたしが誇張した動作をする場合、ときおり笑いもするが、おおよその場合は眠る。ケータイをさわったり髪をつかんだりもするし、体をよじってトイレにいくと出ていって戻ってこないこともある。

前学期にはアウシュビッツでの悲劇的体験を扱ったプリーモ・レーヴィの『これが人間か』[*5]（イ・ヒョンギョン訳、トルペゲ、二〇〇七）を講読した。身体障害を持つ学生たちはかつて体験した施設を思いうかべて内容に興奮したり、ため息をついたりしたが、知的障害を持つ学生たちは異なった。かれらはいくらレーヴィの言葉だといっても、それが本に書かれてある文章である限り、そしてそれをわたしがそのまま読みきかせる限り、いかなる興味も感じなかった。一〇年前、手を上げた高校生が依然として問うているようだった。「知は兄の生も救えますか?」

ほんとうに知的障害者たちは哲学ができないのか。かれらにとってはソクラテスの「知への愛」も、カントの「未成年から脱すること」も不可能なのか。哲学者たちはこれについて沈黙したり、残酷な言葉ばかりを吐いてきた。プラトンは欠陥のある子どもたちは捨てろといい、カントは理性なき存在たちには人格を与えなかった。知的障害者たちは哲学の外の幽霊であった。

しかしある一冊の本に出会った。題名は『おとなになれば』(ウッドストック、二〇一八)だ。自身を「考えの多い二番目の姉」だと紹介する著者チャン・ヘヨン

＊5　プリーモ・レーヴィ、竹山博英訳『改訂完全版 これが人間か——アウシュヴィッツは終わらない』朝日新聞出版、二〇一七。

氏と一八年間にわたって障害者収容施設で暮らさなければならなかった発達障害者の妹ヘジョン氏がともに営んでいく戦争のような日常の話だ。ヘジョン氏とどうにかして世の中でともに生きる場所をつくるため奮闘する「考えの多い二番目の姉」であるヘヨン氏が、気づき、そして培ってきた数々の洞察。「わたしは特別な学びをしたことがない」。非障害者として障害者とともに過ごす方法についてヘヨン氏はこのように述べる。ヘヨン氏は妹とともに暮らしながら自然にコミュニケーションする方法を学び、理解する方法を学んだ。「考えの多い二番目の姉」は知を通して生を得たのではなく、ともに暮らす生を通して知を得たのだ。

わたしはここにむしろ哲学の成熟と救いの道を見た。「哲学を通した成熟」ではなく「哲学の成熟」のことだ。プラトンとカントが成熟できる道を、この本の「考えの多い二番目の姉」が示してくれている。生の先生を自負していた知の大家たちは、知的障害者の前でいかに無能で幼稚で無礼であっただろうか。自ら大人であることを自負しつつ、どれほど多くの者たちを知的障害へと追いやってきたのか。いまになってわたしもヘジョン氏に対して挙手して聞きたい。「生は哲学者の知も救えますか？」

声と責任

個人的に「責任」という言葉は好きでない。責任はただちに追及や処罰へとつながる言葉だからだ。「責任」は、幼い頃「だめなこと」をした時に互いに押しつけあうものの名であった。「お前の責任だ」、「お前が責任を取れ」。もう少し大きくなってから耳にした言葉も似ている。「責任感を持て」、「責任ある行動をしろ」。すべて忠告される時に聞く言葉だった。

大学生の頃、責任という言葉はさらに悲壮であった。幼い頃にはあやまちを他人に押しつける時に使った言葉が、ここでは反対に用いられた。運動をしていた先輩たちは「責任を取る」という言葉を本当にたくさん言った。かれらは自分の問題でもないことまで進んで責任を取るように語った。学生会の幹部たちは「今度の闘争の責任を取る姿勢で」という言葉を口癖のように言った。時には基層民衆の闘争に、時には労働解放と民族統一の責任を取ると語った。抑圧された者たち、自らの声を出せない者たち、さらには自分たちにとって真に益するものが何かを知らない者たちに代わって、かれらの利益を代弁し、かれらの声を自負し、かれらの闘争を代わって行う時、「責任を取る」という言葉が飛びだした。

しかし最近、英語の本を読んでいたら、ふと「責任」、つまり「responsibility」という言葉が目についた。この言葉は「response（応答）」という言葉と「ability（できる）」という言葉の合成語だ。要するに「責任」を文字通り紐解けば「応答できる」になるのだ。これは「責任」という単語をラテン語の「responsabilitas」から持ってきた英語、フランス語、スペイン語はもちろん、言語形態が異なるドイツ語でも同様だ。ドイツ語で「責任」を意味する単語は「Verantwortlichkeit」であるが、ここにも「応答する（antworten）」という意味が込められている。

文字通りに見れば「責任」とは「応答すること」と言えよう。ふつう「責任を担う」ことは権限を持つという意味であり、またその権限と同等にそのことへの追及を受けるという意味でもある。しかし文字通りに理解した「責任」の意味は、わたしたちに別の何かを気づかせる。「応答する」ということは、その前に「声がかけられたこと」があったという意味だ。「応答」は一種の「言うこと」であるが、単純な意味での言うことではなく、「聞くこと」を前提にした言うことであると言える。聞かずに言うことはできるが、聞かないことには応答できないからだ。要するに責任は「聞くこと」を前提としてのみ成立する「言うこと」であると言える。換言すれば、聞くことのできない存在は責任を取ることができない。聞くことのできない時、わたしたちは根本的に無責任だ。

もう一歩先に進みでよう。責任が「聞くこと」を基に成立するならば、わたしたちは責任という言葉を通して他者が「言葉をかけること」を承認するのだ。換言すると、わたしたちはわたしたちに近づいてきた他者が声を持つ存在であると承認するのだ。これは責任という言葉がわたしたちに要請する態度だ。声が聞こえないからといって、わたしたちは他者が声を出していないのだと、さらにはその人には声がないのだとみなしてはならない。

他者に責任をもって近づくということは、他者がすでにわたしに近づいてきていることを承認することだ。つまり他者が声を出しており、ただわたしに聞こえていないことを認めることだ。それゆえ責任とは、たんに「聞くことができること」を通してのみ成立するのではなく、「聞こうとすること」から成立するということがわかる。単純に他者の言葉を聞くことのできる聴取能力ではなく、他者の言葉を聞こうとする意志、欲望、努力だということだ。

これはわたしたちの社会のマイノリティたちを「声なき者たち」とみなすことがいかに危険で無責任な態度なのかを気づかせる。責任ある行動とは他者に代わって言うことではない。それは他者が声を出す存在だということを承認し、その声を聞こうと努力する時にのみ成立する。

二〇〇八年にわたしは書籍形式の雑誌『ブックジンR』（グリンビ）の編集担当をしていた。当時、あちこちで追放された大衆たちの形象を現すために「一・五号」のテーマを「声なき者たちの声」に決めた。その時、わたしに強い印象を与えたのは宗廟《ジョンミョ》公園の隅で開かれた農民デモだった。警察はデモ隊を完全に封鎖してしまった。デモ隊の姿はおろか声すらも聞こえなかった。鍾路《ジョンノ》〔ソウル中心の大路〕の方へデモが進むだろうという話を聞いて行ってみたにもかかわらず、デモ隊を見つけるのはかなり難しかった。なんとか封鎖線のなかに入っていったのだが、まさに阿鼻叫喚だった。警察とデモ隊の衝突が激化して負傷者たちが続出し、あちこちで悲鳴があがった。〔公園外壁の〕外側の道路はのんびりしており、店からは明るい音楽が流れているのに、内側のひと隅では人びとが絶叫していた。その時、頭に「声なき者たちの声」というフレーズが思いうかんだ。だから編集者序言にこう書いた。「全身で叫んでも、その素ぶりと声が見えも聞こえもしない人びとがいる」と。

その時はまったくわからなかったが「声なき者たちの声」という言葉に繊細な注意が必要であることにいまさら気づく。この言葉は、ともすれば「声なき者たちのための声」と誤解されうるからだ。「声なき者たちのための声」という言葉は、いっけん抑圧された者たちに対するとてつもない献身と責任を表現する言葉のように聞こえる。しかしこれは人びとに声がないという事実を前提とするために、根本的に無責任なものだ。

あたかも同情と憐憫が善意の顔をした悪徳であるかのようだ。同情と憐憫は、善行を施す前に相手側を気の毒な対象につくりかえる。同様に声を代弁する人びとは知らないうちに自分が代弁する存在たちを「語ることのできない存在」、つまり無能力な者たちとみなす。

障害運動家であり動物運動家であるスナウラ・テイラー（Sunaura Taylor）はこの問題を鋭く指摘したことがある。「「声なき者たちのための声」という詩句は自分のために弁護したり語ることのできない者たちに声を与えたりすることをもって不可避的に感傷的な気分をつくりだす――声なき者たちは自ら語り自分をケアすることが身体的に不可能な者たちなのだ」。そうしてテイラーはインドの著述家であり活動家であるアルンダティ・ロイ(Arundhati Roy)の指摘を引用する。「「声なき者」は存在しない。ただ故意に沈黙を強いられたり(deliberately silenced)、選択的に傾聴されない(preferably unheard)者たちがいるだけだ」。[*6]

ロイの言葉を深く吟味しよう。いわゆる「声なき者たち」とは、声を聞かない者たちがつくりだした「沈黙」であるということだ。声が「聞こえない」のではなく、わたしたちが「聞きたくないから」そのようになったということだ。ロイは「聞くことのできない無能力」を超えて「聞こうとしない意志」を暴露している。

わたしたちは「声なき者たちの声」を「声なき者たちのための声」で覆わないように注意しなければならない。「声なき者たちのための声」を出す人びとは、しばしば自分たちの「声を聞くことができない」を、かれらの「声を出すことができない」へと取りかえてしまい(これも問題なのだが)、自分たちの声をかれらのものにすることを通して、かれらの声を重ね書きする(これこそ惨い問題だ!)。これはかれらを二重の沈黙に閉じこめる。これこそ責任を取るという人が犯す最も無責任なふるまいである。

考えてみるとわたしも大学生時代、先輩たちと同じくらい危険な言葉、無責任な言葉をたくさん言ったと思う。わたしの言葉が果たして応答であったのだろうか、つまりわたしは言葉を聞いたのだろうか、言葉を聞くためにどれほど努力したのだろうかと、いつも反省させられる。とはいえ幸いなのはノドゥル夜学の授業で、学生たちがわたしがきちんと聞きとれるまで話すことを簡単には放棄しないという事実だ。以前は学生たちが何度も同じ言葉を言ってもわたしが聞きとることができない状況が苦しくて、その状況を免れようといいかげんに聞きとれたふりもした。もちろんすぐにばれた。誰よりも学生たちがそれをよく知っていた。幸いかれらはわたしを放棄しなかったし、わたしが聞きとれなければ何度でも繰りかえし語ってくれる。わたしがこれ以上無責任な存在にならないように！

＊6　スナウラ・テイラー、今津有梨訳『荷を引く獣たち――動物の解放と障害者の解放』洛北出版、二〇二〇、一一五―一一六頁。

思考する人間と苦痛をうける人間

カール・マルクスがこの世にやって来てから二〇〇年が経った。ある思想家が世界にやって来るのは実にとてつもないことだ。それは世界を新しく見る目がやって来ることであり、その目で見た世界に対する恥と誓いがやって来ることだ。だから思想は思想家とともにやって来るが思想家とともに去ることはない。いや、思想家は一人の人間とともに生まれるが、その死によって消えることはない。その目があり、恥があり、誓いがある限りにおいて。

かれほど多くの敵と同志を持った思想家がほかにいるだろうか。いかなる場所でもそうであるし、この地においてもそうだ。現在は納骨堂のような図書館の書架に収められており、ときおり教養人のための推薦図書として顔を出すが、少し前まではかれの本は家にお招きしただけで国家保安法違反で処罰される可能性があった。かれを読むことが、知性と熱意だけでなく、勇気を必要とした時代があった。

若い頃のわたしたちはマルクスをたくさん読んでいなくともマルクス主義者になった。もちろん勉強しないまま支持者になることは危険なことであり、少なくとも自慢できることではない。このような若者たちはマルクスの時代にも存在した。歴史を貫通する永遠法則のごときものは存在せず、各々の社会形態は固有な法則を持つということが歴史唯物論の核心であるにもかかわらず、各々の歴史研究はおろそかなままに、歴史に通じたマルクス主義者ぶっていた人びとのことだ。フリードリヒ・エンゲルスはこのような若者たちに、マルクスが一八七〇年代にフランスのマルクス主義者たちに吐きすてた言葉を喚起させもした。「わたしが知っているのは、ただわたしは決してマルクス主義者ではないということだけだ」。[*7]

しかしかれの本をたくさん読みもしないまま支持者になるのは、必ずしも稚気や虚勢ゆえのみではない。かれにはいかなる思想家にもない特別な魅力がある。かれを少し読むだけでも、精神をぎゅっとつかみとるものがある。ロシアの革命家ウラ

＊7　エンゲルス「エンゲルスからコンラード・シュミット（在ベルリン）へ」大内兵衛・細川嘉六監訳『マルクス＝エンゲルス全集』三七巻、大月書店、一九七五、三七九頁。

ジミール・レーニンは、マルクスの『資本論』について「普通の経済書と異なり、労働者階級から資本家階級を批判した唯一の経済書」と述べたことがある。おそらくレーニンをつかんで離さなかったものが、わたしたちをつかんで離さなかったものであり、マルクスを数行読むことすら難しかったプロレタリアたちをつかんで離さなかったものでもあろう。

マルクスの本は抑圧された者たちの立場から書かれた極めてまれな本だった。言ってみればかれはわたしたちの側の人だった。かれはわたしたちの思想家であって、かれの本はわたしたちの本だった。それをわかるために多くの本、多くの知力は必要なかった。においが変わり照明が変わったのに、どうしてそれに気づけないというのか。かれの本からは別のにおいがした。

最近わたしはマルクスの本をふたたび紐解いてみて金南柱《キムナムジュ》〔韓国の民主化運動のなかで広く読まれた詩人〕の詩句のように「思想の居場所」について考えている。思想とはふつう場所を持たない。正しい思想とは場所とは無関係に、立場を超えて語ることだとよく言われる。そうであってこそ普遍的な思想なわけだ。この点でマルクスの露骨な肩入れは、思想の歴史、哲学の歴史においてスキャンダルに近い。しかしかれは自分の肩入れに堂々としていたし、誇りを持った。かれは普遍的な思想こそ一種の幻覚であり、立場と無関係な思想など存在しないことを見せてくれた。

マルクスは早くから自分の思想の居場所を探していった。プロイセンの古く重苦しい空気の下で自由を渇望した若き哲学徒は、不思議なほど自分の思想の居場所を巧みに探しだした。「思考する人間」と「苦痛をうける人間」。マルクスはこの二つを一つに束ねようとした。パリの急進的運動家たちからプロレタリアートという言葉を学ぶ以前にも、かれは古い世界を終わらせる主体を「思考し苦痛をうける人間」と「抑圧され思考する人間」から探しもとめた。苦痛をうける者を解放するためだけでなく、苦痛をうける者から解放を得るために、かれはその方向に歩んだ。抑圧される者の側においてのみ思考の救いが来ると考えたのだ。かれにとって思考とは苦痛の頭であり、苦痛とは思考の心臓であった。

いわゆる人間主義的哲学の時期を抜けでたという時にも、このような姿勢、このような肩入れは変わることはなかった。ある点で、かれの肩入れはわたしたちが属した空間についての科学的分析において、換言すると特定の曲率で傾いたわたしたちの時代の権力と価値の空間に対する分析において、さらに輝いた。あたかも表面の等式から空間の屈曲を読みとる物理学者のように、商品の自由で平等な交換を分析することをもって、ブルジョアジーに肩入れしブルジョアジーに有利になるよう傾けられた空間を読みとった。労働者のサイコロが不利な目のみを出す理由は、個人の不運ではなく、この空間の性格であることを読みとったのだ。

このように表面を手さぐりして空間を読みとるためには優れた知力が必要だ。しかしその前に、明るい等式の周辺をぼんやりかすめていく不等式の陰影を見のがさない繊細な目がなければならない。思考する人間が苦痛をうける人間とともにある時のみ得ることのできる目のことだ。このような目を持ったがゆえに、ありふれた思想家たちが不法的略奪と恣意的独裁に対して悩む時、かれは合法的になされる略奪を、そして法の向こうにあるブルジョワジーの主権と独裁を告発することができた。

マルクスがこの世界にやってきて知ることになったことの一つ。表面の思想家は均衡を保とうとするが、深奥な思想家はどちらか片方の側に立つ。表面的思想には居場所がないが、深奥な思想は自分の居場所を知りぬくのだ。

第二部　犬が吠えない夜

見る目と見える目

数年前の冬、研究室の仲間が地下鉄で買ったと『ビッグイシュー』(*The Big Issue*)を持ってきた。この雑誌はホームレスの経済的自活を援助するために一九九一年に英国で創刊され、販売権はホームレスにのみ与えられ、収益の五〇%を販売者に支給するという。韓国でも二〇一〇年に創刊され、〔二〇一四年〕現在一部五〇〇〇ウォンで販売されている。[*1]

ところで、わたしが見せてもらった『ビッグイシュー』には手書きの手紙と年賀状が入っていた。雑誌を販売した人がなかに挟みこんだものだ。「最初の話」という題名がついているのを見ればずっと書き続けていくようである(手紙はそれ以降も書き続けられ、二〇一九年一月に書籍として出版された。イ・サンチョル『今日、明日、明後日くらいの生』考えの力、二〇一九)。この文章はわたしたちが地下鉄などで目にする援助を訴えるビラとは異なる。筆者は物乞いのために書いたのではなく、自分の考えを開陳するために書いたのだ。雑誌に掲載されはしなかったが、雑誌に載せて送る文章。かれは「出版する(publish)」という言葉そのままに公衆(public)に向かって文章を書いたのだ。

わたしはかれの文章から人びとを居心地悪くさせる視線を感じた。考えてみるとかれが書いたものは本当に「目」についての話だった。かれの目はすこし特別だ。かれの右目は視力がない。生命を失った右目は脱色し、変色した。かれが書いた「二年前の話」という文章には次のような場面がある。

今日わたしは文房具屋で履歴書を買う。

履歴書といっても別に書きたてることもないのだが、就職しようとする清掃業者に持ってこいと言われたので書かなければならない。

書きながらも期待はあまりしない。冷たい冬だ。ほぼあらゆるところで面接の時、わたしの変色した右目を見ては「また連絡さしあげます」という一言で終わりになる。

＊1　二〇二三年現在では一部七〇〇〇ウォン。

二〇分もかからない。憂鬱だ。

わたしはかれらを理解してやることができる。どうせかれらも上司から余計な小言を聞かされる必要はないのだから。

自らの生をだんだん探しだすことが難しくなるわたしがもの悲しくなる。

もはや履歴書を書いて出すところがない。

視力がなく変色した「右目」とは異なり「左目」は何かをよく見ている。文章の最後の章には、かれがレンブラントの「水浴する女」をボールペンで模作した絵がついている。かれはレンブラントのほかにもゴヤとルノアールの画集に入っている絵をスケッチしたりするようだ。

しかしかれの「左目」は「右目」以上に特別だ。「右目」は他の人びとが見るものを見られないが、「左目」は他の人びとが見られないものを見る。「左目」は他の人びとが自身の「右目」をどう見るかを見る。自身を見つめる人びとの視線を見るのだ。二つの目。見られる目と見る目。他者の視線の対象になった目と、その他者の視線を見る目。ここには現象学的にとても重大な問いが込められている。

いつだったか、ノドゥル障害者夜学の授業で、わたしはほとんどの障害者にこの「右目」と「左目」があることを知った。障害者たちは自分を眺める他人を眺める。授業時間にわたしたちは人類学者ロバート・マーフィー（Robert Murphy）が書いた文章を読んだ（キム・ドヒョン訳「社会的な出会い――米国社会の沈黙する体」『わたしたちが知っている障害はない』グリンビ、二〇一一、二六〇―二九九頁）。[*2] かれは障害者と非障害者の出会いにおいて「障害」がどのように相互作用を支配しているのかを示してくれる。非障害者は相手の障害に言及しないのはもちろん、意識すらしないということを見せようとするが、そのような努力がむしろぎこちない行動をもたらす。かれが挙げた例を脚色し、わたしは次のように述べた。「もしあるパーティー会場に重度障害をもつ女性が現われれば、その女性はその場の空気を支配することになります。かの女に親切な言葉を投げかける人であろうが、顔をしかめる人であろう

＊2　ロバート・マーフィー「出会い――アメリカにおけるボディ・サイレント」ベネディクト・イングスタッド、スーザン・レイノルズ・ホワイト編著、中村満紀男・山口惠里子監訳『障害と文化――非欧米世界からの障害観の問いなおし』明石書店、二〇〇六。

が関係ありません。もっといえばかの女を見ないまま誰かと話をしている人びとも変化した空気の支配を受けます」。その時、ある学生が言った。実際それを最も早く気づく人はその女性本人だろうと。そしてさらに言った。意志がかなり強かったり、何らかの意図がないならば、その女性はただちにその場を去るであろうと。何かの約束があるだとか、家で用事ができたとかいう言い訳をして。

非障害者たちもこのような行動様態を見せることはある。道で知り合いの障害者に会った時、簡単な挨拶を交わして明るく笑うが、話がそれ以上長引かないように忙しいふりをする。何かの先約があるのだとすぐそこから離れようとする。居心地が悪いからだ。だがこのような居心地の悪さは障害者のほうがより敏感だ。考えてみると障害者のほうで適度に笑い、先に場を離れる言い訳を探す場合が多い。相手が自分のせいで居心地悪く感じるということを知っているから、自分はさらに居心地が悪いのだ。だから特別な助けを必要とする場合でなければ、おおよそ何らかの言い訳をして先に場を離れる。

わたしの授業に参加したある学生は、自分の前でわざと明るく笑う人がとても嫌いだと言った。そのような誇張された行動を通して、あたかも自分は居心地悪くないのだと演技するのが丸見えだからだ。実状は障害者を見て顔をしかめる人と変わらない感情を抱きながらも、それを表出すれば自分が俗物に見られるかもしれないので、洗練された偽装術を発揮するのだ。

言ってみれば障害者の「左目」はその偽善を見やぶる。おそらくそのような演技をする非障害者もそれを感じるだろう。そのような感覚ゆえに障害者の目を正面から見ることは負担である。それでも非障害者には強力な解決策がある。その場を回避したりさっさと去ってしまったりすればいい。『ビックイシュー』に挟みこまれた文章の著者から引くならば、障害者はただ「採用しなければ」よい。そうすれば後に居心地が悪くなることもない。

障害者の場合はどうだろうか。路上で軽くすれ違うのであればそのまま去ることも解決になりうる。しかしそうできない場合がある。自分の生活と生存が他人の支援にかかっている場合、問題は簡単ではない。例えば一人でご飯を食べられないならば、食事を補助する人がいなければならず、その視線を伺わないわけにはいかない。この場合、障害者がとる方法は非障害者にこれほど負担を与える「左目」をつむることだ。

障害者だけがそうなのではない。誰かに何かを頼んだり、さらには物乞いをしたりしなければならないなら、わたしたちはその人の目を見ないほうがよいと知っている。たとえるならば、もはや目ではなく、ただ肉体の一部になったその「右目」を他人の前に差しだし、相手側を見やぶる「左目」はつむらなければならない。肉体は差しだして見せるが目はそむけるのだ。目をつむること、自己意識の窓を閉じること、意識を消すこと。その時わたしたちの体は処分を待つかわいそうな事物になってしまう。そして相手側はいまや居心地の悪さなしに、いや道徳的に意気揚々として、わたしたちを処分することができる。受けいれようが、受けいれまいが、そうなのだ。

『ビッグイシュー』を販売する「作家」は切実な希望を一つ持っている。それはいつの日か「右目をよい見た目に手術すること」だ。「見えない」目であれば「見た目がよく」なるほうがマシだろうし、それはかれの生においてとても切実な希望であることに間違いない。わたしもまたその希望が遠からず実現することを望む。何よりもかれが言う「絶望の季節」においてまずは生きのこらなければならないからだ。

しかしわたしはかれの「右目」の美観と同じくらい「左目」の健康を祈願する。かれが「左目」の健康を失わないことを、つまり何かを書き続け、何かを描き続けられることを望む。先に述べたように、かれの「右目」は他の者たちが見ることを見られないが、かれの「左目」は他の者たちが見られないことを見るからだ。かれは「左目」を通して他人の前に晒された自身の悲惨さを見ると同時に、自身を悲惨な存在として見つめる他人の羞恥も見る。いわば他人に反射された自身を見つめながらも他人を見やぶり、その内部をのぞき見るのだ。それゆえ「あたかも大韓民国は幸福な社会だというように」笑っている人びとは、この「左目」に居心地を悪くする。しかしまさにそれゆえに、この「左目」は貴重なのだ。

そうだ、年賀状の話をしていなかった。かれは年賀状を直接書いてコピーした後に一つ一つ彩色した。年賀状には自身とともに暮らす一匹の猫が二つの目をしっかり開いて正面を凝視している。そして猫の後ろには永遠につむることのない一つの「目」が、同じくわたしたちを眺めている。

果敢に海外旅行に行った生活保護受給者のために

新聞には人びとの感情の根底を刺激する記事がしばしば載る。生の苦しさをなんとか耐える人びとが怒りを注げる対象を選んでくれる記事のことだ。これらの記事の源は政策失敗の責任を免れるために統治者たちがとる三文芝居の場合が多い。道徳的弛緩に対する怒りの火を生じさせて政策失敗に対する冷ややかな追及を隠すのだ。このような刺激的な記事の一つが生活保護受給者の海外旅行に関するものだった。

二〇一四年、保健福祉省は過去五年間の生活保護受給者のうち海外旅行に行った人が五四万人、出国件数が一〇七万件ほどだと発表した。一年あたり一〇万人ほどの人が二回程度出国をした計算だ。人びとの怒りにさらに油を注ぐ統計がいくつか追加されたが、生活保護受給者のうち五万四〇〇〇人が車を所持しており、このうち二〇〇〇人は車を二台以上所持しており、無資格者の不正受領額は三〇八億ウォンにもなるということだ。

当然の反応であろうが、そして当時の政府と与党がまさにこの反応を狙ってマスコミに資料を送ったのであろうが、報道を知った市民たちの怒りがまき起こった。「なんとか食いつないで暮らしていると思っていたのに、わたしが払った税金で海外旅行まで行って遊んで暮らしているなんて」という心情だったのだろう。そのなかには一体受給者管理はどうなっているのかという非難もあり、福祉にあまりにも金をばらまいて国を滅ぼすのかという声もあった。過去五年間で三〇〇億ウォン、つまり一年平均六〇億ウォン程度が間違って支給されたというから問題があるように見えはする。

不正なやり方で公的資金を小遣いのように使う人まで擁護するつもりはないが、このような記事には先ほど述べたように気にかかる部分が残る。人びとの怒りを利用して何か不純なことを達成しようとする汚い意図が読みとれるからだ。

さしあたり冷静になって一言いっておけば、生活保護受給権と関連する不正の規模は特別大きいわけではない。同じ時期に発表された他の国庫泥棒の資料を見よう。ワイロや接待、公金横領で摘発された公務員たちの罰金に懲戒金というものがある。

国民の税金の管理機関である国税庁だけをとってみても昨年〔二〇一三年〕一年間に二四億ウォンの懲戒金が賦課された（前長官が税金を隠匿するために企業からもらった数十億の金は含まれていない）。泥棒を捕まえる警察たちが自身の泥棒や犯罪ゆえに被ることになった課徴金も二〇一三年の一年間で一四億ウォンだ。国庫に入るべき金を免除してやる代わりに本人たちが何かをしてもらったのだ（課徴金というものは五倍賦課されるものではあるが、かれらが不正に免れさせてやったお金の規模を考えてみれば、むしろより多く計算すべきなのかもしれない）。

ともかく国民の税金に由来するお金で生活しながら国富を削ったり食いつぶしたりして別途の不当な収入を得ている人間は、国税庁にも、警察にも、検察にもいる（一人当たりの課徴金規模は検察が一億三〇〇〇万ウォンで最も多い）。母集団の規模を考えて一人当たりに換算するならば、不正した肝っ玉の大きさは、生活保護受給者の場合、かれらと比べるまでもない（公的資金が投入された企業や銀行で繰りひろげられる不正の規模を言いだせば、お金の単位がけた違いになるので論外としよう）。

もちろん泥棒の肝っ玉の大きさを比較することは本稿の目的ではない。海外旅行の資料を探しているとやりきれない文章を見かけた。生活保護受給家庭のある大学生がネイバー知識イン[*3]になにか心配で引っかかることがあって書きこんだものだった（生活保護受給者の海外旅行の件が問題になる前に投稿されたものだ）。その学生は学校から奨学金として五〇万ウォンを受けとった。そして学校から何らかの援助をもらい中国に二泊三日ほど行けることになった。問題は昨年の夏に二か月近く海外旅行に行ってきたということだ。アルバイトや家庭教師をし、生活費も節約して外国に行ってきたというのが本人の嘆きだ。同い年の友達の海外経験の話も聞いたであろうし、夢を持つ若者としてどうしても行ってみたかったのであろう。母が一人で生活費を出しているのに自分が外国に行ってくるのが心に引っかかり、他人の目にも贅沢に見えるのではないかと自責しながらも、学校が費用の一部を負担してくれるこの機会を逃したくないと書いてあった。

その文章を読んで本当にやりきれなかった。ネイバー知識インに投稿された問いは、問いというよりは嘆きのようであったからだ。実際質問の要旨を見れば簡単だ。この前海外に行ってきたのだが、再び中国に行けば生活保護受給権を奪われるのか、

＊3　ヤフー知恵袋のような質問サイト。

この前のように住民センターの職員と相談をすべきなのか、そのような問いだった。べつに残酷な犯罪を犯した保護観察対象者でもないのに、外国に出るたびに心をビクビクさせて住民センターの職員と相談する若者だなんて。本当に悲しい光景というほかない。

そのように海外に出ることができるのならば、生活保護受給の対象者ではないのではないか、と問う人もいるだろう。しかし生活保護受給権は海外旅行の有無で分けられるのではない。所得が最低生計費以下で扶養義務者がいなかったり、その能力がなかったりする場合には法的に生活保護受給者になることができる。不正な所得が見つかったのであれば別だが、その人が受給権で得たお金の使用用途まで統制されなければならないわけではない。

生活保護受給権とは言葉通りに「権利」だ。わたしたちの社会の構成員であれば最低限の生活は保障されなければならないという共感からつくられた「社会的権利」だ。その人がその「最低限の生活」のために得たお金を、食だけに使うのであれ、本を買うのであれ、旅行をするのであれ、人間らしい生をどのように規定するかは、その権利者が決める問題だということだ。食以外に使えば「お、食べるのには困ってないんだな？」とみなすことこそ人間の生を「食べる動物」としてのみ理解する態度であろう。

過去五年間に五〇〇万人の生活保護受給者が海外旅行をしたということがそれほど衝撃的なのか。五年間の統計なので一年当たり一〇〇万人程度ということになるが、韓国観光公社によれば二〇一三年の韓国の海外旅行者数は一四八四万人であり、二〇一四年には一五〇〇万人を超えるという。全体人口比でいえば、一般市民の三人に一人が海外旅行に行ってきた計算になるが（じっさい最近の東南アジアパッケージツアーは二〇～三〇万ウォンの商品もある）、生活保護受給者の場合は一〇人に一人にしかならない。当然の統計だ。暮らすのが大変なので、三人に一人が行く海外を、一〇人に一人が行くのだ。

国民基礎生活保障法〔生活保護法〕上の受給権者と扶養義務者の所得と財産、勤労能力規定に違反したのでなければ（実際この資格要件も批判すべき問題が多いのだが、ここでは脇に置く）、生活保護受給権のいかなる問題にもならない。しかし二〇一四年、海外に出なかった三分の二の人びとを怒らせ、生活保護受給権制度を攻撃し、さらには福祉制度全体を攻撃しようとする理由は何であっただろうか。富裕層減税による税収不足を福祉縮小で埋めようという考え、貧しい者たちに支給される金をどうにかして減らそうという悪い根性が背景にあるのではないのか。

イタリアの若い哲学者マウリツィオ・ラッツァラート（Mourizio Lazzarato）は『負債人間』[*4]（ホ・ギョン、ヤン・ジンソン訳、メディチメディア、二〇一二）という本で、ネオリベラリズムが本格化するなかで「社会的権利」を「社会的負債」に置きかえることがあちこちで生じていると警告した。いわゆる「社会的権利」が終焉を告げ、そこに「債務の倫理」が入ってきているというのだ。ネオリベラリズム政権でずっと生じていたことに対する適切な指摘だろう。生活保護受給権や失業手当、障害者年金など、わたしたちの社会がその成員たちに最低限の当然な権利として保障しているものを、ネオリベラリズムの権力者たちは共同の富に対する損失ないしは負担として追いたて、権利を享受する者たちを社会の借金を負った存在、つまり債務者に仕立てあげた。「生活保護受給者のくせに海外旅行だなんて」という道徳的視線は、すでにかれらを権利者ではなく債務者、社会的な富を食いつぶす問題児として見ることだ。

権利者に法で規定された適切な資格があるのか、その者が法律に違反しているのかどうかは、当局が把握すればよいだろう。しかし当局はもちろん、わたしたちのうちの誰もが、その権利者の生のスタイルや個人の素行まで扱う権利を持たない。それにもかかわらず最近のわたしたちの社会は、生活保護の保障を受けなければならない権利者に対して、身の丈を知って暮らすことを要求している。旅行をたくさんしないこと、仕事を真面目に探すこと、望ましい行動をして生きること、などなど。そのようななかで規定に問題がない出入国であるにもかかわらず、住民センターの職員と相談すべきなのかと悩まなければならない悲しい光景が生じるのだ。

資本家にとって債務はただちに貧しさを意味しない。数百パーセントの債務を負っていても企業を回していくことに問題はなく、お金を借りることもかれらにとっては能力として通じる。しかし庶民たちの場合は異なる。債務が多いことと貧しいことは同語反復に近いというのが真実だ。

しかし主語と述語を入れかえて、貧しさをそれ自体として債務であると言えるだ

＊4　マウリツィオ・ラッツァラート、杉村昌昭訳『〈借金人間〉製造工場――〝負債〟の政治経済学』作品社、二〇一二。

ろうか。もちろんとんでもない話だ。しかしわたしたちの社会はだんだん貧しい人を債務者のように追いこんでいる。かつては「貧しさが罪なのか」と抗弁する言葉があったが、貧しくて国家から福祉手当を受ける人は、現在の雰囲気では半「罪人」扱いを受けている。一種の「保護観察対象者」のように生活規範を統制されているからである。

わたしは生活保護受給者の立場で「果敢に」海外旅行を一年に二度もしてきた人びとを尊敬する。一方ではがむしゃらな生活力を尊敬し、他方では社会的権利を社会的債務へと置きかえようとする権力者たちの陰凶な陰謀に屈しないその精神を尊敬する。道徳という名前の石をぶつけられるべき存在がいるならば、それはかれらではなく、自身たちの強欲さをやめることはせずに、果敢にでしゃばって二度も海外旅行をしたと貧しい人びとの首をじりじり絞めあげる人びとと、その政府だ。わたしはそう考える。

慈善家の無礼

同情する者が同情される者の無礼に怒る時がある。わざわざ心をこめてお金とプレゼントを送ったのに、それを受けとる側が喜ぶ素ぶりをしないとしよう。お金とプレゼントを毎回もらっておきながら感謝の表現がなければ、与える側はとても残念に思うことがあり、その残念さはいつの日か怒りとして突然爆発するかもしれないのだ。

年末になれば、多くの施設では後援者たちの訪問日にあわせて大掃除をし、数日間にわたり公演の準備をし、後援者たちに向かってにっこり笑う練習をする。そして後援者たちに感謝の手紙も書く。それは後援者に対する感謝ゆえでもあるが、後援者が抱くかもしれない残念な気持ちや怒りを恐れるからだ。

しかし恩知らずな者たちに対する慈善家の怒りには検討すべきものがある。おかしなことに聞こえるかもしれないが一度考えてみよう。慈善家はやりたいことをしているのになぜ怒るのか。かれらが望むものは行為ではなく行為に対する補償であったのだろうか。

哲学者ニーチェは善行を通して相手を所有しようとする人びとの策略について語ったことがある。自ら意識できないが、善行を施して献身する人びとのなかには、その善行と献身によって相手の所有権を得たと考える人びとがいる。

ニーチェによれば、かれらの所有欲は善行を構想するときから発揮される。たとえば慈善家は援助を与える対象をまず想像する。かれは自分自身をその人の位置に置いてみる。哀れな立場にいる自分を援助してくれるならば、かれはありがたさで涙まで流すであろう。このような想像の後に、かれは貧しい人たちに善行を施す。かれの想像どおりならば、相手はありがたさでたまらなくなるべきだ。対価を望まない善行と心から湧きあがる感謝。何も望まない心と満足をさせるふるまい。このようなものが演出されなければならない。しかしこれが具現されない時、わたしたちの慈善家は酷い俳優に出会った監督のように怒るのだ。

慈善家の怒りは自身の善行が所有物に対する欲求から生じたことを示す。ニーチェの言葉を借りれば、慈善家はすでに構想から「困窮者をば意のままに所有物を処理するがごとくに取りあつか」った。[*5] 相手が自分の望む行動をするであろうと無意識的に前提したのだ。しかしこのような前提に基づいた善行は、それ自体として相手を事物化する。人形遊びと同じだ。美しい服を着せ、髪も美しく結ってやり、自分の望む場所で自分の望むポーズを取らせる、そのような人形のことだ。

愛と献身で相手の品行に対する命令権を得たと信じる人びとをわたしたちはいたるところで見ることができる。恋人のあいだでもそうであり、金持ちと貧しい人、権力者と臣民のあいだでもそうだ。代表的な例は親と子どもであろう。親たちは子どもたちをときおり所有格で表現する。親にとって子どもはみんな「わたしの子ども」だ。そして子どもが期待を裏切る時、親たちはすぐに「わたしがお前をどう育てたのかわかっているのか」と言う。感情的には理解できないわけではないが、冷静に問えば、これは「わたしは献身したことをもってお前を所有したのに」という言葉と変わらない。

＊5　ニーチェ、信太正三訳「善悪の彼岸」『善悪の彼岸／道徳の系譜』ニーチェ全集第一一巻、ちくま学芸文庫、一九九三、一六六頁。

しかし慈善家、博愛主義者、献身する者が感じる裏切りには大きな無礼がこもっている。かれらは舞台演出をぶち壊した相手に怒るが、それより先に相手を舞台演出の小道具として扱ったからだ。あたかも相手の品行に対する統制権が自分にあるかのように。いわば、かれらは相手をモノ、人形、所有物として扱ったのだ。

二〇一七年の冬のあいだインターネットで炎上した「ロングダウンコート後援者」の怒りからもそのようなものの一部を感じた。わたしはその後援者が心の優しい人だと思う。その人は節税やイメージ・ウォッシングのために一回きりの善行を演出する人ではなかった。福祉財団を通して毎月五万ウォンずつ貧しい子どもに援助しつづけ、クリスマスのような特別な日には別のプレゼントも思いつく人だった。問題の「ロングダウンコート」も最初はあたたかい話題の糸口でありえた。この寒い日に、しかもロングダウンコートが最近流行していると聞いたのであろうし、ロングダウンコートと援助する子どもを同時に思いうかべたというのは、かれがどれほどあたたかい人であるかを見せてくれる。

一体何が問題だったのか。一〇万ウォンを超えるものを買ってあげようとして、子どもが二〇万ウォンのものを欲しがったから怒ったということだが、すぐには納得できない。なぜならひと月分の少額後援金に当たる数万ウォンが自分の援助した子どもの善悪を判断する程度の額になるとは思えないからだ。

おそらく衝撃は二着のロングダウンコートではなく二人の子どものあいだから生じたのだろう。かれが善行を施して思いえがいた子どもと現実の子どもがあまりにも異なったのだ。後援者との直接的な出会いも拒絶し、貧しい分際で他の子どもたちが着ているのと同じロングダウンコートを欲しがる子ども。かれはすぐに後援の中断を通告し、子どもに対する非難を書きこんだ。そして子どもが自分を「金づる」扱いしたみたいだと怒った。

しかしわたしはかれが自分の怒りについて問いなおすことを望む。後援者に対する礼儀を守らなかったというかれの言葉こそが人間に対する礼儀を破るものではないのか。子どもが自分を「金づる」扱いしたみたいだと書いているが、本当は自分が子どもを「モノ」扱いしていたのではないか。かれは後援者としてお金を与えたが、ひょっとすると子どもから人間を奪ったのではないか、ということだ。

言葉とため息のあいだで

ある時期、大学の講義をできるだけしないようにしていた。勉強時間を確保したかったからでもあるが、商業化した大学に対する拒否感が大きかったからだ。学生たちの高い授業料と講師の安い労働力を搾取して高い建物をたて、その額に真理だとか自由だとかいう言葉をはばかりなく書きつける大胆な偽善に耐えがたかったからだ。しかし生計の余裕がなかったので、悪態をつきながらも、そやつの講師の地位を求め大学の周辺をうろうろしている。

大学に再び出講しはじめた時、わたしは自分の足で歩んでいったにもかかわらず、誰かがわたしの首を引っぱっていくような感覚をおぼえた。そのようなわたしに息のできる穴をあけてくれたのは学生たちだった。いつもそうではないが、学生たちはある瞬間に輝く。おそらくその輝きに魅惑されて大学を離れられない人びともいるだろう。二〇一六年にゼミ形式の授業をともにした学生たちはとりわけそうであった。学生たちのほとんどが読書と討論に熱を注いだ。自分の考えを理路整然と展開する姿に驚きもした。大学院への進学を望む学生たちが多かったからなのか、あるいはいわゆる頭のいい大学なので、入学時から論述問題で武装した学生が多かったからなのかはわからない。ともかくわたしが思っていた光景ではなかった。

しかしこの社会で珍しい若者たちだと思えたかれらにも陰があった。最終授業日にカフェに集まった時、自然に時局の話になった。翌日に大規模なろうそく集会[*6]が予定されていたので、学生たちの考えが気になった。横にいた学生が言った。学生運動などに特別関心のない自分みたいな人も行くんだからたくさん来るんじゃないかな、と。なぜ行くのかと聞いたら、特段不思議でもない答えが返ってきた。「ほんとうにありえないじゃないですか」。しかしわたしの目を引いたのは言葉ではなく、暗い表情とともに吐きだされたため息だった。「ところでなぜため息をつくんですか?」と笑いながら問いかけると、かれはこう言った。「よくわかりません。なんとなくですよ。どう生きていくか息苦しくて……」。

＊6　二〇一六年から一七年にかけての朴槿恵《パククネ》大統領の退陣を求める集会。

これは怒りではなく陰だ。怒りは感情を熱するが、この場合は温度が下がる。熱くなるのではなく冷たくなるのだ。大統領は当然退かなければならない。ありえないから。

しかしなぜかはわからないが、大統領が退いても大して幸せな世の中になるとは思えない。おそらく大統領に対する怒りよりも「ヘル朝鮮」[*7]に対する諦念が大きいからであろう。未来が見える時は目の前の不義が人びとを熱くさせるが、未来がない時には冷たくさせる。

弾劾とともに始まった大統領選挙の政局。候補者たちは全国を往来して選挙運動をしていた。国政をもてあそんだあらゆる醜悪な言語を代替するかのように、「正義の大韓民国」、「改革のための大連立」、「第四次産業革命」などの美しい言葉があふれかえっていた。もちろん言葉は言葉に代わることができ、指導者は指導者に代わることができる。しかしそれは言葉の交代であり代表の交代だ。言葉が去った場所にはため息が残る。大統領がそこにそのまま座っているのは「本当にありえない」とためらいなく答えた学生の明瞭な言葉の後ろに、理由のわからないため息が続くように。

わたしたちは民主主義と代議制を合わせた体制に生きている。あまりにもこれに慣れきっているので、原理的にわからなくとも現実的には二つが同じだと考える。だから大統領弾劾から大統領選挙へと続く政局をとても自然に感じる。代表を弾劾するということは続けて新しい代表を選ぶという意味だからだ。

わたしたちはその間にカメラの照明の方向が変わったということに気づけていない。民主主義は「デモスの力」に関心を寄せるが、代議制は代表の有能さに最大の関心を寄せる。わたしたちがいかなる立場にいて、そしてわたしたちにいかなる力があるのかということよりも、候補のなかで誰がより魅力的で有能なのかに関心が注がれるのだ。わたしたちは広場に出てきた互いに対する関心の代わりに、朴槿恵という名前の次に連ねる名前の主人公を探している。

大統領選挙で代表に対する関心が浮上するのは仕方ない。そして代議制に暮らしている以上、よい代表を選ぶことが重要なのも間違いない事実だ。しかし代議制の枠組みだけで状況を見れば、わたしたちは問題を無能で悪い指導者がつくりだした

＊7　地獄のように生きにくい韓国を指す言葉。

もので、また有能でよい指導者を選びさえすれば問題が全部解決するだろうと錯覚してしまう。さらに指導者たちが美しい言葉までしゃべりたてるので、いまここがいかなる場所なのか忘れてしまいがちだ。

わたしたちの目を政治指導者の動向をうかがうことに使うのも必要だが、より必要なのはわたしたちの立場を見つめることだ。わたしたちの耳を政治指導者たちの言葉を聞くのに使うことも重要だが、わたしたちがより耳を傾けなければならないのはわたしたちのそばにあるため息の音だ。

その日「どう生きていくか息苦しくて……」と言った学生の陰った言葉に、わたしは中国の作家魯迅が青年たちに投げかけた言葉を伝えた。このように漠然としている時は基本的で切実なものをつかまなければならない。至急なのは生き残ることであり、どのようにしてであれきちんと食べて暖かい服を着て暮らさなければならない。そして次にはさらによくなろうと努力し、余力があれば恋人たちをケアしなければならない。しかしその時わたしが口にできなかった言葉があった。魯迅はその言葉の後にこのように付けたした。「この行く手をさえぎる者があれば、古であろうが今であろうが、人であろうが鬼であろうが（……）全部踏み倒すことだ」。[*8] しっかりしよう、ここはヘル朝鮮だ！

＊8　魯迅、中川俊・是永駿訳「ふと思いつく」『魯迅全集』第四巻、学習研究社、一九八四、五九頁。

納得できない「それゆえ」

到底理解できない言葉。第一野党[*9]の院内代表が最高裁判所所長候補者に関して国会で次のように語ったことがある。「候補者はかつて二〇一二年国際人権法研究会の会長を歴任し、性的マイノリティの人権をテーマに学術大会を開催した。発表者たちは同性愛差別禁止法制定などを要求した」。候補者の適格さを質すための根拠になった言葉であるが、ここから導出した結論が理解できない。チョン・ウテク院内代表によれば「それゆえ」キム・ミョンス候補者は不適格だというのだが、わたしとしては性的マイノリティの人権をテーマにした学術大会と最高裁判所所長不適格という言葉のあいだに置かれた「それゆえ」に納得できない。

普通の論争では推論が問題になる場合はあまりない。根拠から推論へと進む過程は誰もが同意する規則に従うからだ。誰かが「ソクラテスは人間だ。それゆえ死ぬ」と言ったならば、結論を否定するためにソクラテスが人間だという事実を否認するしかない。しかし根拠になった事実に同意するにもかかわらず、そこから確信を持って推論した結論を理解できなければどうすればいいのか。誰かが「オバマは黒人だ。それゆえこのバスに乗ることができない」と言うならば、わたしたちとしてはただただあきれてものが言えないだろう。「それゆえ」を理解できないからだ。わたしたちはその誰かを別時代、別世界に暮らしている人だと思うしかない。遺憾なことに民主党[*10]は、候補者が同性愛者を擁護しなかったと防御した。「それゆえ」ではなく根拠になった「事実」を否認するほうを選んだのだ（「それゆえ」民主党もわたしたちの時代の政党であるのか確実ではない）。

犯罪性が濃厚な言葉もあった。イ・チェイク議員は人事聴聞会でこのように言ったという。「性的マイノリティを認めることになれば、同性愛のみならず近親相姦問題や小児性愛、死体レイプ、獣姦にまで飛び火するだろう。人間の破壊、破綻は火を見るより明らかだ」。

＊9　二〇一七年当時の「自由韓国党」、二〇二三年現在の「国民の力」。
＊10　韓国の「共に民主党」。

しかし五年前、スウェーデンでは何人かの人びとが同性愛を非難するビラを配って逮捕され、有罪宣告を受けた。ビラには同性愛が非正常的性愛であり、社会に破壊的影響を及ぼし、エイズの責任があるという類の内容が書かれていた。スウェーデンの法廷は性的指向を理由に一群の人びとに対する敵対心を醸成したからと懲役刑（執行猶予）と罰金刑を宣告した。いかなる合理的根拠すら提示できなかった者たちは逃げ場を社会的寛容に求めた。「表現の自由」を主張して欧州裁判所に請願したのだ。しかし欧州裁判所はかれらの表現が「必要以上に攻撃的であり」、「偏見にとらわれている」とし、スウェーデンの裁判所の判決に同意した。

実際、オランダ、ベルギー、スペイン、カナダ、南アフリカ、スウェーデン、ノルウェー、ポルトガル、フランス、イギリス、ブラジル、米国、メキシコなどの多くの国々は同性結婚を合法化した。これらの国は、自分の頭のなかの汚い想像を現実のように叫ぶ人びとを、矯正が必要な犯罪者とみなす。

偏見を注入する言葉も横行する。自由韓国党[*11]のスポークスマンはこのような論評を出した。「同性愛教育が特定の教師たちによって学校現場で堂々と行われている」。そしてかれはソウルのある小学校の英語教師が「クィアパレードの映像を授業で見せた」と指摘した。そして「テグのある小学校教師は、セクシュアリティの多様性を尊重する教師になるよう努力し、カミングアウトができる学級になる契機をつくるという内容の性教育をした」と非難した。

しかし小学生たちにクィアパレードの映像を見せてやったり、セクシュアリティの多様性を尊重するよう教育したりすることがなぜ問題なのか。クィアパレードは世界各国で行われている祝祭であり、韓国のパレードには各国の大使館も参加し、二〇一七年からは国家人権委員会も参加する。教育者であれば子どもたちに「クィア」という言葉の歴史が示す人類の恥ずかしい偏見とその偏見を壊すための性的マイノリティたちの奮闘を知らせるべきなのではないか。スポークスマンのチョン・ヒギョンは、これが「特定の性的指向を学生たちに注入する」ことだと言ったが、わたしの考えは反対だ。むしろ特定の性的指向のみを「正常」であるかのように信じてきた無知と偏見を反省し、わたしたちの狭い頭蓋骨のなかに子どもたちの未来が閉じこめられないように開いてやることが教育者の責務であろう。

＊11　二〇二三年現在の「国民の力」。

神聖冒涜のように聞こえる言葉もあった。国内最大のキリスト教団の総会決定だ。この総会では性的マイノリティの人権のために努力してきた牧師に対し「同性愛支持」と「差別禁止法制定の先頭に立った」として、聖書に反する異端性を帯びたと決議した。性的マイノリティの人権を守ることは神に対する不敬なのか神的な愛の実践なのか、わたしとしては首をかしげるばかりだ。

中小ベンチャー企業省の大臣候補者の聴聞会の時もそうだった。工学者であったその候補者は、信仰上の観点から地球の年齢は〔聖書にしたがい〕六〇〇〇年だと述べた。自分の自我を信仰者と工学者として別々に管理する姿も痛ましかったが、「地球年齢六〇〇〇年」がどうして神に対する敬虔さになりうるのか、わたしとしては理解できない。文字だけを崇拝するから、それを記録した時代の思考のなかに神を閉じこめてしまうのではないだろうか。

紙とインクを崇拝するものたちから神の言葉を守ろうとしたスピノザは次のように書いた。「善を追求する神」より「勝手な神」が真理に近い、と。[*12]「善」についての勝手な規定を「神」に上書きするだなんて、そんなものより勝手な神のほうがむしろ神に近いというのだ。エピクロスもそのように述べた。真に不敬な人びとは自分の見解を神に上書きする人びとである、と。神を自分たちの水準へ引き下げる人びとのことだ。最近の性的マイノリティに対するあれこれの言葉を聞いていると、六〇〇〇年前にこしらえられてからエデンの丘の外へ一度も出たことのない人びとに会った気分だ。

＊12　スピノザ『エチカ』第一部定理三三、備考二。

ある少年収容所

一九七九年夏、父はわたしを連れてソウルの親戚の家に行った。都会なるものは何度か村の市場に行ったのが全てであったわたしにとって、ソウル旅行は今の外国旅行に劣らないものだった。バスを何度も乗りかえて丸一日かけて到着したソウル。翌日、わたしは朝食を食べてすぐに何も考えずに外に出た。近所の親戚の家にわたしと年齢が近いきょうだいがいると聞いたからだ。住所も電話番号も知らなかった。それにもかかわらず、どうして一人で家を出ようとしたのかわからない。おそらく隣村に住む友だちのところに行く時のように簡単に考えていたのだろう。

しばらく歩いた。いつからかどこに行くのかすら忘れたまま歩きまわった。そうして数時間が経ち、空腹なのに気づき、家へ帰ろうと歩いた。不思議なことに道を覚えていた。もちろん大騒ぎになった。皆があちこちにわたしを探しまわったという。いまでも息を切らした父と「よかった、よかった」と胸をなでおろしていた祖母の姿が思いうかぶ。最近知ったことだが、わたしが歩きまわった地域から遠くないところに市立の児童保護所があった。一人になった数十万人の子どもたちがそこを経由していったという。

昨年六月、わたしは児童保護所を経て少年収容所へと送られた人びとの証言を聞く集まりに参加した。かれらはみんな一九六〇〜七〇年代、ソウルの道端にいた子どもたちだった。家出をしてさまよっていた子どももいたし、親戚の家を訪ねていくところの子どももおり、他の子どもたちと路地裏で遊んでいたところ、取り締まりの実績を満たすために一旦警察署に送っておく公務員に捕まえられた子どももいた。共通点を一つ探すならば、公務員や警察に捕まえられて、恐怖におびえて正確な住所をすらすら言えなかったということ。一言でいえば一九七九年夏の、わたしのような子どもたちだった。

どこに住んでいるのか、どこに行くのか、住所も電話番号も知らず、幸いそれを知っていたとしても、警察の前で頭が真っ白になって即答できない子どもたち。時間が経ってから思いだしても意味がなかった。親の名前や学校名を思いだしても「浮浪児」という新しい名前をつけられた後には、どんな話も聞いてもらえなかった。「浮浪児」

は嘘つきの犯罪者予備軍であったからだ。いわばかれらは予備検束されたのだ。

子どもたちが連れていかれた場所は仙甘島《ソンガム》という、京畿道《キョンギ》の安山《アンサン》付近の小さな島だった。そこに仙甘学院という収容施設があった。仙甘学院は日本の植民地時代末期に「不良行為をしたり不良行為をするおそれがある」八歳から一八歳までの子どもたちを感化させるという目的でつくられた施設だ。名前は「学院」だが、形態かららいえば間違いなく強制収容所だった。子どもたちは髪を剃り、収容者服を着た後、軍隊式の規律に従い生活した。数えきれないほど多くの子どもたちがここで労役と暴行、飢えにさいなまれて死に、脱出を試みても海にのまれて死んだ。

しかし驚くべきことにこの収容所は解放後にも残り、一九八二年まで運営された。政府は解放と朝鮮戦争、産業化を経る間にも、浮浪児をずっと「関係機関対策会議」の対象にしたのだ。そうして数十年間、数千人の子どもたちをここに収容した。政府の認識は日本帝国主義の植民主義者たちと同じだった。道で徘徊している貧民は大人であれ子どもであれ犯罪者予備軍なのだ。したがってかれらを捕まえて魂を入れかえなければならないのだ。一九八〇年の悪名高い三清教育隊《サムチョン》*13までこのような認識は続いた。仙甘学院は子ども版の三清教育隊であったわけだ（実際に仙甘学院を脱出した後に三清教育隊に連行された子どももいた）。

すでに五〇をはるかに超えた年齢であるにもかかわらず、わたしが出会ったかつての子どもたちは恐怖に苦しめられていた。一九七〇年代末、ソウルの路地をわたしのようにさまよって仙甘学院に連行された中年の男性は、自分の話を打ちあけた後に眠れなくなっていた。被害者たちのなかには、国家にいつ何時でも強制拉致されうるという恐怖のために証言を拒否したり、口述資料の返還を要求したりする人もいるという。収容所での強制労働と殴打、闇埋葬、収容所を脱出したのに住民たちに再び拉致された話まで、かつてのわたしと紙一重で時間と場所がずれていただけの子どもたちの証言に、わたしは身の毛がよだつ気分だった。貧しかった幼いわたしたちがさまよい歩いた道は、いつ崩壊してわたしたちを埋葬するかもしれなかった薄氷だったのだ。

＊13　一九八〇〜八一年まで軍に設置された機関であり、不良勢力を一掃し、素行をただすという社会浄化の名目下に多くの人びとを収監・強制労働させるなど人権蹂躙をした。後に五四名が死亡したことが明らかになった。

アウシュビッツの生存者であったプリーモ・レーヴィは、収容所《ラーゲル》とは世界観の帰結[*14]だと述べた。わたしたちにとって、ふだんは潜伏性の疾病のように魂の根底に位置しているが、いざ飛び出せば三段論法の大前提のように機能する認識がある。ほとんど根拠のない先入観なので、ふつう口外されることはまれだ。しかし危機感を呼びさます事件が起きれば、その認識が刺激を受ける。わたしたちのその後の行動は全てそこから導き出される。たとえば魂の根底に「異邦人は敵だ」という認識を持つ人は、ある恐ろしい事件を体験した時、異邦人たちを閉じこめる死の収容所を簡単に推論してみせる。事件の衝撃波がその認識の枝をしばし揺らしさえすればよいのだ。

仙甘学院も同様であっただろう。わたしたちの魂の根底に貧困と犯罪、そして路地を結ぶ短い一文が埋めこまれているだけで充分なのだ。わたしたちは路地を徘徊する八歳の子どもまで犯罪予防を目的に捕まえることができる。収容所がすでに閉鎖されたのか、あるいはまだ建設されていないのかは副次的だ。魂の根底に埋めこまれている認識の木が健在する限り、収容所はいつでも施工許可のみを待つ建物のようだ。

多くの人びとが開所したのかどうかすら知らなかった仙甘学院はすでに閉所した。しかしその死の収容所を生みだした一文は、わたしたちの心のなかで全く枯れてはおらず、最近ではまた別の収容者たちを指名するありとあらゆる危険な文章が春の日の綿毛のように飛び交っている。それがわたしたちの魂の根底に安着する日を待ちながら徘徊しているのだ。

＊14　プリーモ・レーヴィ、竹山博英訳『改訂完全版　アウシュヴィッツは終わらない――これが人間か』朝日新聞出版、二〇一七、五頁。

使いものにならない人

二〇一五年、イギリス女王の幼い頃の映像が一つ公開されて騒ぎになった。エリザベス二世が母、おじ、妹とともにナチス式の敬礼をする姿の映像だった。当時エリザベスの年齢は七歳だったという。王室側は当時幼い女王がテレビに映る動きを真似して遊んでいただけだと説明した。確かに特定の身振りを根拠に七歳の子どもにナチズムを問いつめることは行き過ぎに思える。おそらくこの映像を問題にする人びとも、幼いエリザベスの思想を検証したいわけではないだろう。

実際人びとが疑ったのはエリザベスではなくイギリス王室それ自体だった。何人かの歴史学者たちによれば、ドイツ系の血統のイギリス王家はドイツに深い親しみをもっており、かれらのうち相当数はヒトラーを支持したという。とりわけ問題になった人はこの映像に登場するエリザベスのおじであるエドワード八世だった。わずか一年に満たずに王位を手ばなしたが、かれはともかくイギリスの王だった。しかしその映像を撮った一九三三年はもちろん、戦争が勃発した一九三九年にも、かれはナチスを支持した。一九三七年には直接ヒトラーに会いもした。今ではかれが個人的逸脱をしただけなのか、あるいはイギリス王室自体の何らかの性向を見せるものなのかはわからない。

二つの国の指導者たちの微妙な関係について聞いた時、近代イギリスの代表的理念である功利主義と、ドイツのナチズムのあいだにも何らかの関係があるのではないかという考えが浮かんだ（参考に、ニーチェは功利主義のイギリスを近代性ないしは現代性理念の発源地だと見たてた）。本格的な研究をしてみたことがないので勝手なことは言えないが、このような疑いが最近さらに強くなっている。

もちろん表面的には二つの理念はかなり異なる。イギリスの功利主義はロマン的英雄よりも平凡な人びとの判断を、例外よりも規則を重視する。幸福すらも現実的効用を通して接近した、極めて実用的で計算的な理念だ。このような功利主義を、ヒトラーを英雄視し、アーリア人種の優位性を説破し、数百万人のユダヤ人をガス室に送った狂気的行動とつなげることは簡単ではない。

ところがおかしなことに、問題を一つずつ検討してみると、どちらがどちらなのかわからなくなる地点がたびたび生じる。ナチスの扇動的演説だけでなく、功利主義者たちの合理的計画のなかにも、多数の幸福のための少数の除去、人間改良のための有用性評価などを発見したり、推論したりすることができるからだ。

ジェレミー・ベンサム（Jeremy Bentham）が構想した収容所もその一例だ。この収容所は使い勝手と費用の観点から世界を見る人が、人間すらその目で見る時に何が起こるかを見せてくれる。社会的な富を食いつぶす使い道のない人間たち、生計すら一人で解決できないゴミたちをどうするべきか。ベンサムは教育や道徳的な訴えでは解決にならないと考えた。かれによれば「人類のゴミども」は民間が所有し運営する強制労働収容所に収容されなければならない。そしてそこで市民へと改造されなければならない。

一九二〇年代のドイツの憲法学者カール・ビンディング（Karl Binding）は「使い道のない人間」に対する悩みを新しい文脈で提起しなおした。かれは「人間改造」ではなく「人間処分」へと向かう門を開いた。最初かれが議論の場に持ちだしたテーマは自殺と安楽死だった。かれによれば「自殺」は一種の殺人であるが処罰できない。それは人間が自分の実存に対して行使した主権であるからだ。人間が生きていくことはただ生存することよりもさらに尊厳のあることなので、誰かがその尊厳性のために生存を止めると決定したならば、これを法的に処罰できない。人間には生きるべき価値のない時に生を廃棄する権利があるというのだ。

しかしビンディングはさらに論を進めた。もしこれ以上治療しても意味がなく、まともな意識もない人びとの場合はどうなのか。自分の生の主権を完全に喪失した人びとに延命治療をすべきなのか。生の価値が単純な生存でないならば、そして「生きる価値のない時、生を廃棄できる権限」なるものが認められるならば、それを行使する主権を喪失した人びとに安楽死を提供することは不当なことなのか。

ビンディングは「生きる価値がない生」を生きる人びと、つまりただ生存のみを維持している人びとを世話するためにわたしたちがあまりにも多くのエネルギーを使っているのではないかと問う。あまりにも多くの人びとがあまりにも多くの資源を使い、生存のみを延長させているのではないか。むしろ戦場で死んでいく兵士たち、炭鉱などで死んでいく労働者たちをケアするためにもっと多くの資源が使われるべきではないか、と。自殺と安楽死から始まったビンディングの問題提起は、これをもって使い道のない人間に対する処分の必要性と接することになった。

ヒトラーはビンディングの思考を受けいれた。かれは生の尊厳性を失ってしまったまま生存のみを続ける人を安楽死させるプログラムをつくった。そしてこのプログラムを「生きる価値のない生」を生きている人びと、生の効用がない人びとにだんだん拡大して適用した。そのようにしてドイツ各地の精神病院から来た精神疾患者六万人が、簡単な検査を経た後にガス室に送られた。アウシュビッツのユダヤ人たちはその次に呼ばれてきた人びとだった。

昨年夏、わたしは京畿《キョンギ》道のある精神障害者療養施設を見てきた。高く育った森の中のこざっぱりとした建物。職員たちも親切で障害者たちもみんな善い目をしていた。しかしそこがいかなる場所なのかすぐにわかった。間食の時間になると数十人が静かに列をつくって近づいてきたのだが、驚くべきことに名簿に書かれた順序と一人たりともずれることはなかった。職員が名前を呼んで間食を渡すさいに、当人が目の前にいたのだ。わたしがインタビューした障害者は「ここは本当に自由だ」と言いつつも、庭にあるベンチに一人で座ってみたことは一度もなかった。そこに行くことを「止める人はいないが行くことはできない」とはっきりしない言葉だけ述べた。そして付けくわえた。「わたしみたいに使い道のない人を閉じこめておいてくれるだけでもありがたいのに、どうしてあえて」。

施設長は「ここに金がどれだけかかってるかわかってるのか」と嘆き、施設に収容されている人びとは、薬のせいなのか訓練のせいなのかはわからないが、自ら使い道のない存在だと思って縮こまっていた。運営者たちの善意を最大限認めるとはいえ、施設において障害者たちの生は職員の仕事に過ぎなかった。人と人の関係は職員たちの間にのみ存在し、そこに収容された障害者たちの間には存在しなかった。障害者たちの生活に対する悩みは徹底して管理の効率性に合わせられていた。効率的な職務処理のために、ものに手入れをしたり整頓したりしておくように、かれらは障害者たちを訓練させてきたに違いない。起床、洗面、食事、間食、そのあらゆる信号に音なく反応するように、そして庭のベンチのような所にはいちいち言わずとも絶対行かないように、である。

その施設をともに訪問調査した同僚の言葉を聞いてみると、施設長は自らを、障害者の家族、そして社会の代わりに大きな重荷を背負う人のようにみなしていた。かれは政府支援も充分ではなく、人びとの尊敬もかつてのようではないので、もはややりがいもないと述べた。しかしそのような重荷を背負う前に、かれが運営する施設が障害者たちを重荷にしているということ、さらに言えば施設というもの自体が、わたしたちの社会がある人びとを重荷のようにして積んでおく場所にしているということを、理解する必要がある。

社会学者ジグムント・バウマン（Zygmunt Bauman）の言葉が思いうかぶ。「必要とされず、望まれず、見捨てられた場合、かれらの居場所はどこなのか？　もっとも短い回答、それが視野の外である」。そして視野の外にいる存在たちは、だんだん「道徳的な共感の世界から貧しい人びとを消去するという結果をもたらす」。[*15] 視野の外にいる存在たちは掃き捨てられるのも簡単だ。あの使い道のない存在たち、あの重荷みたいな存在たちをいつまで抱えていなければならないのか、と。そう誰かが慎重に言葉を吐きだす日が来るかもしれない。

しかしまだわたしたちはガス室に至っていない。バウマンが書いた表現のように「今のところは」である。わたしたちはただ数万名を施設に隔離しておいたまま、社会的安全や施設の効用と費用のようなものを計算しているだけだ。しかし今のところ施設で煙は上がっていないとはいえ、このような施設が存在する限り、わたしたちはわたしたちが知っているよりもはるかにむごい人びとである。

＊15 ジグムント・バウマン、伊藤茂訳『新しい貧困――労働、消費主義、ニュープア』青土社、二〇〇八、二一八頁。

約束

再び、障害者収容施設の話だ。書き、また書く。なぜなら施設をまた訪問したからであり、無念な人びとをまた見たからだ。かれらがどれほど無念であったかというと、かれら自身が無念な立場にあるということすら意識できないほどの無念さだ。情緒的恐怖ゆえであれ知的力量ゆえであれ、自分の立場を問うてみる条件自体を喪失した人びと。悔しくて泣きさけぶことができるならば、それでも無念さは軽減するであろうことを、今回気づかされた。

わたしが出会った生活者は皆が一級障害者[*16]であったが、ほとんどが言語と肢体、知能などの重複障害を抱えていた。実態調査のために少しでも対話が可能な少数の人びとに会った。対話と言ったが、絞りだされた単語を一つ一つ集め、手ぶりと表情に繊細な注意を傾けることで、ようやく可能な対話だった。横の部屋では何人かの人が世の中に背を向けたように斜めに寝そべっており、ある若い男性は全裸であちこち飛びまわった。わたしの目が丸くなったのを見た生活教師〔施設職員〕は「あの子はもともとああなんですよ」と言った。そして大したことない風景を見るように、いや何も見えていないかのように、やり続けていた仕事を最後まで終わらせた。密閉された空間ではなかったにもかかわらず、そこでわたしは息苦しく、どこかをぶつけたり縛られたりしていないにもかかわらず、筋肉痛を感じた。何かがなかからせり上がってきたが、喉の隅で詰まって出てくることはなかった。

何かがなかで積もったまま押しつけられていること。それを「無念」という。わたしはその日、無念を体験した。しかしそこでわたしが無念に思うことはなかった。だからその無念はわたしのものではなかった。それはかれらのものだった。言語障害があってしゃべることができず、知的障害があって考えぬくことができない、しかし数十年の施設生活のあいだ積みかさなってきたもの。おそらくわたしの体はかれらの体に積みかさなった無念を模倣したようだ。息苦しく、痛く、出ていきたかった。体の隅々の小さな声帯が「ここから出してくれ」とさけんでいた。まさにこの

＊16　韓国の障害者福祉制度は等級制を導入している。

感覚ゆえにこの文章の題名を「障害者たちを釈放せよ」にしようかと思った。何の罪も負っていなかったが、事実上の無期懲役刑を宣告された人びと、「わたしたち」が受けいれる準備ができていないがゆえに、「お前たち」はそこでそのように閉じこめられていろと宣告された人びと。かれらを釈放しなければならない。

ある人びとは施設がそこまで残酷な場所なのかと問うかもしれない。施設をともに回ってみた人のなかには、施設が思ったより綺麗で、生活教師たちも各々それなりに頑張っているようだと言う人もいた。しかしその人も入所して間もないという子どもを見た瞬間、「どうしてこんなところに来たの」と涙をぼたぼた流した。実は、その子どものそばに座っている中年の男性も、三〇年前に誰かに手をつながれ、ここに来た子どもだった。

施設調査を終えて外に出てきた遅い午後、結局一人がわたしを捕まえた。対話の時に何の不平も言わなかった人だった。しかしもし施設を出るとしたら誰と暮らしたいかという質問を聞いてから、わたしを捕まえた。「外に出る」という一言がかれを覚醒させたのだ。「いつ、いつですか？　いつ出ますか？　いつ出られますか？」。わたしをつかんでずっと問うた。療養施設だから本人が願えばいつでも出ることができると言いながら、現実的にはそうではないということを知っているので、わたしはかれと長く目を合わせることができなかった。

その間にもう一人の人がわたしの手をつかんだ。携帯電話を持つごく少数のうちの一人であるかれは、わたしに携帯の電源が入っているか見てくれと言った。ひと月に一度かかってくる母の電話を逃したらだめだから、と。考えてみるとそこの人びとのほとんどは、テレビのある内側の部屋ではなく、出入口側の部屋に集まっていた。誰かが門を開けば一斉に顔を向ける。かれら皆が数十年間そのように問うてきたのだ。「いつ、いつですか？　いつ出られますか？」。

わたしが結局この一文の題名を「約束」にしたのは、二〇一七年八月二五日の朝のことを書いておくためだ。保健福祉省の大臣が、地下鉄光化門《クァンファムン》駅の座り込み現場に訪ねてきた。障害者団体が「障害者等級制、扶養義務制、障害者収容施設」の撤廃をさけんで座り込みを開始してから五年が過ぎようとしていた時であった。かれは座り込み現場に掲げられた遺影のなかの障害者たちの名前を一人ずつ呼び、かれらの死を哀悼し、光化門の座り込み現場の念願を込めて新しい世の中を開くと誓った。

そしてかれは約束した。障害者等級制と扶養義務制を段階的に完全に廃止し、障害者政策を収容施設中心から脱施設に変える、と。政府を代表して脱施設を約束したことを、わたしの耳はしっかり聞いた。かれは明らかに語った。障害者たちが収容施設ではなく地域でともに暮らすことのできる環境を醸成する、と。

大臣はわたしたちの前で約束したが、それはわたしたちに対する約束ではありえない。その場にいたわたしたちは施設に入っていなかったり、すでに脱施設に成功したりした人びとだ。大臣はわたしたちの前に立ったが、わたしたちもまた誰かの前に立った人びとであるだけだ。そこに立つことが不可能な人びと、玄関が開くたびに一斉に顔を向けた人びと、「いつ、いつですか？　いつ出られますか？」と問うた人びと。これまでの五年間、わたしたちはかれらの口であっただけだ。かれらは八月二五日の約束もまた、わたしたちの耳を通して聞いた。わたしたちのなかでかれらが見張っていることを、政府が忘れないことを望む。

喋るチンパンジー

喋るチンパンジー、ブーイー（Booee）。かれは一九六七年に生まれた。ブーイーの母は米国国立保健院の実験用チンパンジーだった。そこで生まれたブーイーは発作の頻発ゆえに脳分離手術を受けた。予後がよくなくてかなり苦しんだらしい。かれをかわいそうに思った医者の一人がこっそりと連れだして家で三年間世話をした。そしてオクラホマにある霊長類研究所に送った。ブーイーはそこで若い研究者ロジャー・ファウツ（Roger Fouts）に出会った。ファウツは霊長類の言語習得について研究していた。ブーイーはファウツから手話を習い、しばらくすると文章を駆使できる水準になった。

ファウツは論文を書いた後に別の場所へ去った。かれがいなくなった後の研究所は、ブーイーをニューヨークの霊長類研究所に売りはらった。しかしこの研究所は医薬品開発をするところだった。ブーイーはここで薬物実験の対象として一三年間を過ごした。この時新しい話題を探していた放送局がファウツに連絡してきた。ひょっとしてブーイーに会うつもりはあるかと。当初ファウツは申し訳なさと恐れゆえに躊躇したという。研究を終えてやることを済ませた人のように去ってしまった自分をどう思うのか、さらにそのような残酷な研究所に自分を売ってしまった人びとをどう思うのかがわからなかった。しかし番組出演がブーイーを救いだす機会かもしれないという考えで、ファウツはブーイーに会いに行った。

ファウツは自分とブーイーの再会の瞬間を『限りなく人類に近い隣人が教えてくれたこと（*Next of Kin*）』という本に詳しく書いた。「ハーイ・ブーイー、あなた・おぼえていて?」。ファウツを見るやブーイーは勢いよく飛び上がって答えた。「ブーイー、ブーイー、わたし、ブーイー」。そして自分の頭をなぞった。これはファウツとブーイー二人だけの愛称だった。ファウツはブーイーを愛称で呼ぶ時に頭をなぞっていたのだ。ブーイーが脳手術を受けたことを知っていたからだ。ブーイーはファウツだけが知っていた自分の愛称を正確に記憶していたのだ。

ブーイーは自分がファウツに与えた愛称も記憶していた。自分の頭を触った後、ブーイーは耳たぶを引っぱった。特色ある耳を持ったファウツにブーイーがつけた愛称だった。ファウツを見てブーイーが言った。「そう、あなた、耳たぶじゃないか」。このようにブーイーはファウツが完全に忘れてしまったことを全て覚えていた。狭い鉄柵を挟んで二人は互いに抱きあった。

ファウツは本にこう書いた。「一三年間も地獄の穴蔵にいながら、ブーイーはまだ許してくれていて、しかもそれに嘘がない。ブーイーはいまだにわたしのことを愛してくれている。人間がブーイーに与えた仕打ちのすべてにもかかわらず」。ファウツは実験のために肝炎を患っているブーイーの前であまりにも恥ずかしかった。そしてブーイーを研究対象としてのみ扱った後、数多の研究者たちのように急に去った自分を責めた。幸いなことにブーイーの話は放送され、書籍にもなり大きな反響を呼びおこした。そしてそのおかげでブーイーは非営利団体の動物シェルターへ移された後、そこで余生を送ることができた。[*17]

＊17　ロジャー・ファウツ、スティーブン・タケル・ミルズ、高崎浩幸・高崎和美訳『限りなく人類に近い隣人が教えてくれたこと』角川書店、二〇〇〇、三八四－三八九頁。

わたしはスナウラ・テイラーの『荷を引く獣たち』でこの話を読んだ。この本でテイラーは動物を「語ることのできない存在」、「声なき存在」とみなすことを強く批判した。動物たちは絶えず言葉を語る。たとえば犬が前足を皿の上に置く時、それは食べものをくれという言葉であり、ドアをひっかいてうなるのは外に出ようという言葉だ。わたしたちが聞こうとすれば、かなりたくさん聞きとることのできる言葉だ。しかし全力で顔を背けている状況では、それらは聞こえるわけがない。わたしたちはブーイーのように人間の言語を駆使できる時にのみ、びっくり仰天してかれを解放してやろうと叫ぶ。ブーイーが出てこれたのは、ファウツの本の題名のように、かれが人間の「最も近い親戚」だと見せることに成功したからだ。

そうであるならば、人間の言葉を使えない存在たちはどうなのか。現在では医薬品や毒劇物試験対象にチンパンジーを利用することは厳格に禁止されるようになったという。しかしブーイーのいた席はブーイーよりさらに「遠い親戚」である他の動物たちが占めている。その動物たちの言葉は聞こえないからだ。

わたしにはこの動物たちの立場がマイノリティ一般の立場と大して変わらなく思える。動物たちはいつからかマイノリティの形象をしており、人間のマイノリティたちもまた人扱いされることが困難だ。アリストテレスは『政治学』で「人間は言語能力を持つ唯一の動物」であり、そのおかげでただ声をさけぶだけの動物と異なり「政治的存在でありうる」と書いた。だからなのか言語を使えない人間はまともな人間扱いをされず、人間でない存在の言葉は言語扱いされないようである。

かつて、わたしは声を出せないマイノリティたちに対して人文学は言語を与えることができ、それゆえかれらが政治的存在になるために貢献できると考えていた。しかし今では考えが変わった。アリストテレスは自分の「聞くことができない」を相手の「語ることができない」へと巧妙にすりかえたのだと思う。自分の無能を相手の無能にすりかえたのだ。しかしテイラーが力を込めて強調したように、世の中に語ることのできない存在はおらず、ただ聞くことのできない存在、聞くことをしない存在がいるのみだ。それゆえ政治的存在として、わたしたちが投げかけるべき問いは「かれらは語ることができるか」ではなく「わたしたちは聞くことができるか」である。

生命のゴミ

二〇一七年冬、同じ町内に住む友人からショートメッセージがきた。町はずれに小さくて古い教会があるのだが、一匹の子犬が放置されたまま虐待されているという。のちに伝えられた事情はさらに残酷なものだった。犬小屋はピザ配達用の箱に穴をあけてつくられたものだったが、全く掃除をしておらず糞尿まみれだったという。首紐も短くて子犬は仕方なく糞尿のなかで過ごした。さらに首紐が少しでも絡まれば寒い冬の夜を屋外で過ごさなければならなかった。

とても痛ましく思った友人は、食べものとカイロを入れてやり、住民センターを通して主人に世話するよう伝えてくれとお願いした。友人は韓国の法もわからず言葉にも負担を感じる外国人であったが、どうにかして子犬を世話しようとした。しかし数日後、涙をこらえて言った。子犬が死んだ。子犬が見当たらなくて犬小屋に手を入れると、冷たい死体があったという。

その友人はわたしに教会に一緒に行ってくれるかと言った。死体を受けとり葬ってやるだけでもしたい、と。しかし教会は人の気配がないうえに外国人女性が一人で行くのは簡単ではないところだった。そのうえ夜だった。日が明けてから行くのはどうかと思ったが、友人は子犬の死体をできるだけ早く受けとり葬ってやりたいと言った。主人がふだん子犬に対するのを見れば、死体を適当に処理するのではないかと思うと言った。

友人について教会の空き地に行ったとき、白犬が吠えたてた。犬を怖がるわたしがびくついている時、友人は落ちついてピザ配達用の箱をのぞき込んだ。そして子犬の死体が消えたと呆然自失した。わたしなりに慰めようと、主人がちゃんと埋めてやったのではないかと言った。そうすると友人が答えた。韓国では犬や猫が死ねばゴミ袋に入れて捨てると聞いた、と。ふだん韓国のペット文化について何も知らなかったが、わたしとしては信じがたい言葉だった。その夜、友人とわたしは教会付近のゴミ袋を調べた。

子犬の死体は探しだせなかった。友人に申し訳ないが、正直安堵した。そんなわけがないというわたしの信が確認できたようだったからだ。しかしわたしが間違っていたことを教えてくれる事件が報道された。天安《チョナン》のあるゴミ捨て場で、ゴミ袋に入った生きた犬が発見されたのだ。たくさんの人びとが生きている犬をゴミ袋に捨てたことに怒ったが、わたしはその記事を見てから気づいた。韓国では犬をゴミ袋に入れて捨てるという友人の言葉が正しかったということを。

現行法令によれば、動物の死体は一般ゴミだという。だからゴミ袋に入れて捨てることが法的にも合っているし、多くがそうするという。ゴミ袋に入れてはならない場合もありはする。動物病院で死んだ場合だが、それは感染の危険があるからだ。死んだ動物に対する配慮ではなく、人間の健康に対する配慮なのだ。要するに死んだ動物には、そのまま捨ててもよい一般ゴミと、特別の管理が必要な危険ゴミがあるだけだ。

ゴミ袋に入れられた生命、つまり生命のゴミはわたしたちと動物の関係について多くのことを考えさせる。いつからだったかわたしたちは生命体、とりわけ動物を産業的に生産している。農場は事実上工場だ。ただ製品が生きている動物なだけだ。生産工場についてはネットで簡単に検索してみるだけで詳しく知ることができる。ここでは「効率」や「改良」という言葉からすら「虐殺」のにおいがする。商品はほとんど食べ物であり、一部が情緒満足のためのペットだ。

しかしあらゆる商品の裏面はゴミだ。商品は価値と使い道を持つモノであるが、生産過程で瑕疵《かし》が発見されたり消費過程で消耗されたりすれば廃棄される。その商品が心臓を持つといっても、状況は変わらない。消費された後、ゴミ袋に入れられゴミ捨て場へと行くことと、生産過程で瑕疵が発見され生きたまま集団で埋められることは別の論理ではない。

そしてこのような商品関係の根幹に所有関係がある。近代的所有権の核心は処分権だ。思うがままに処分できないモノは、わたしのそばにあっても所有したモノではない。その反対に、処分権だけがあるならば、わたしは一度も行ったことのない土地すら所有できる。わたしがモノを所有したということは、それを使ったり譲渡したり投げ捨てたりする権利を持ったという意味だ。使って捨てようが、そのまま捨てようが、思うがままだ。だから所有権とはゴミに対する権利でもある。所有とは盗みであると書いたピエール・ジョセフ・プルードン（Pierre Josepf Proudhon）の言葉をまねていえば、所有とは束の間のゴミだ。

わたしの友人が死んでいく子犬にそれ以上接近できず、死んだ犬を連れて行くこともできなかったのは、子犬が神様の空間にいる被造物だからではなく私有財産であったからだ。子犬には主人がいて、主人には処分権があった。伴侶としての犬を生きたままゴミ袋に入れた親子はそれでも社会的費用を減らしてやろうという選択をした。路上の捨て犬だけで、一年に一〇万匹を超えるというからだ。

問題は動物に主人がいないという点にはない。教会の子犬の悲劇は一次的にはそのような主人に出会ったことにあり、さらに一般的には、世の中のあらゆる動物がそうであるように、主人に出会ったことにある。主に仕えよという教会で、わたしの友人は動物に必要なのは主人ではなく、友人であることを見せてくれた。所有せずに世話をする人のことだ。動物を必要以上に、さらには見せつけるように食いつくす社会において、動物との友情は明らかに遠いところにある。それでもすでに友人、いや友人たちがいるがゆえに、少なくとも道があると考える。

「明日」が来ない四〇〇〇日

三九九九日。何かの日をそこまで数えてみた人がどれほどいるだろうか。最強の寒波に襲われた二〇一七年冬のある金曜日、世宗路《セジョンノ》公園の角に建てられた小さなテントを訪ねた。ギター生産業者であるコルトコルテック労働者の座り込み現場だ。四〇〇〇日目の特別な行事はないと言った。「解脱したみたいですよ。四〇〇〇日といって何か騒ぐこともないし」。そうしていつからか始まった月曜日、火曜日、水曜日、木曜日、金曜日のすべきことをするだけだと言った。

出ていくさいに一冊の本を受けとった。『わたしたちには明日がある』。イム・ジェチュン氏の座り込み日記をまとめて出版したものだ。家に帰ってから一頁一頁、つまりかれらの一日一日を読んでいき、わたしは悔しかった日、希望にあふれた日、正義をさけんだ日を目撃した。そして本の題名をもう一度見てわかった。三九九九日という長い時間でも得ることのできない日があったことを。一日を繋ぎとめて四〇〇〇日をつくりだしても達成できない日があったことを。それはまさしく「明日」だ。解雇された日、社長が奪い去った「明日」のことだ。

五年ほど前、かれらと短い挨拶を交わしたことがある。研究室の忘年会でかれらが結成したバンド「コルバン」が来た。その時の表情がとても明るかったので、わたしはその年に最高裁判所の残酷な判決文が出たということすら考えられなかった。「闘争をしなかったならどうしてこんなに多くの人びとに会うことができたしょうか？　悪徳社長に出くわしたおかげでこの年になってバンドもやって演劇もやってみて……」。本当にそのように見えた。そうして楽しく闘争するならば、困難な闘いになるだろうが、充分に勝利できるだろうと。その時わたしはそう考えた。

しかし先週、コルトコルテックの座り込みが四〇〇〇日になるという話を聞いた時、心がずしんと沈んだ。四〇〇〇日というこの長い時間は、日を一日でも増やさないために、かれらが必死にもがいてきた時間であるからだ。かれらが、歌う歌手、演劇する俳優、コチュジャンをつくる農民、本を書く著者であったのは、労働者としてあり続けるために何でもしなければならなかったからだ。

五年ほど前のわたしが、歌手になり俳優になった労働者たちに感嘆していた時、かれらはそれまでの五年間に、本社を占拠し、鉄塔に登り、焼身し、首まで吊った人びとだ。楽器博覧会、ロックフェスティバルを訪ねまわり、海外遠征闘争も繰りかえした。その後再び五年、かれらはもはやうまくやることもできず、もはやうまくやる必要もない黙々とした解脱の闘争を続けている。

どのような複雑な事情がかれらをここまで来させたのか。巨大な無念は複雑なものから生じない。それはとても単純明白なものからやって来る。あまりにも明白な不義を認めず、さらにはそれを正義で包みこむとき、根底にある正義感がひっくり返されるのだ。

コルトコルテックの社長も単純だった。二〇〇六年四月、コルテック労働組合が設立された。「窓の外をちょくちょく見ていると生産性が落ちる」といって窓すら設けない工場。このような工場がどのように運営されてきたかは聞いてみる必要もない。様々な有機溶剤と粉塵でいっぱいになった作業場、強制された残業、性差別とセクハラ。そのうえ大規模リストラまで始まった。この時、労働組合は労働者たちがとることのできる唯一の防御手段だった。

しかし労働組合設立から一年後、労使協議会が予定されていた日に、社長は工場のあらゆる入口を閉鎖して廃業過程に入った。そして親会社であるコルトでも労働者たちは大量に解雇された。もはや注文量がないという理由だった。それは当然だった。物資を中国やインドネシアの工場に回していたからだ。毎年の純利益を六〇億ウォン以上ずつ出し、廃業直前にも注文量が増えたからと賃金引上げに合意した会社が、物資がないと廃業申告をしたのだ。地方労働委員会と中央労働委員会はコルテックの職場閉鎖とコルトの整理解雇が不当だという判定を下した。

法廷闘争がそれに続いた。当然なことが覆されるわけにはいかなかった。しかし二〇一二年、最高裁判所は高等裁判所の判決を巧妙にねじ曲げた。事実上、一つの会社であるコルトとコルテックを分離し、コルト楽器に対しては不当解雇を認定したが、コルテックに対しては「将来の危機に予め対処するための人員減縮も正当」だと下級審判決を覆した。高等裁判所では「緊迫した経営上の理由」がないとして不当解雇だと認めたことを、最高裁は「緊迫さ」を「将来にありうる危機」にまで拡大した。皆が「緊迫さ」という言葉の意味に首をかしげている時、社長はコルト楽器工場まで売却し、最高裁が不当解雇を認めた労働者たちの復帰への道すらも塞いでしまった。

これを認めるべきか。この単純な質問がこの四〇〇〇日間、座り込みの労働者たちを狂わせた。あたかも占いをするかのように「将来の危機」を「緊迫だ」として受けいれた瑞草《ソチョ》洞の最高裁判事が下した判決に、わたしの良心の裁判官が高鳴るのをどうしろというのか。だからかれらは明日へと行けないまま、今日をつかみとって数千日を送っている。「子どもたちに今日を相続させることはできませんよ」。あまりにも明白な不当解雇と偽装廃業、あまりにもあきれた判決文を手に、たとえ今日を苦しんだとしても明日へと後回しにすることはできないのだ。

二〇一二年、かれらは俳優になって「ハムレット」を上演したことがある。ハムレットは自分の使命が「結び目がずれた時間」を正すことにあると言った。時間がずれたので、過去は昨日ではなく今日まで生きているし、明日がない今日が限りなく未来に続く。この不義の時が、四〇〇一、四〇〇二へと数字を繋げていくならば、それゆえわたしたちが昨日を今日とするように、今日を増やして明日とみなすならば、「明日」は決して来ないだろう。いま、時間を正さなければならない。

苦痛を知らせてくれる苦痛

残酷なことを経験した人はそれを語る時に痛みを感じる。記憶というものは精神にのみ保存された情報ではないからだ。精神が過去を呼びおこすように身体も過去を呼びおこす。そして精神がその時を証言する時、身体もその時のように痛くなる。

有力な大統領候補者であるアン・ヒジョンの性暴力を告発した女性の顔がそうだった。かの女はこれ以上の被害者の発生を防ぐためにとてつもない勇気を出した人だ。しかしテレビに映ったかの女の顔はあまりにも蒼白で、すぐにでも倒れてしまうのではと心配になるほど困憊《こんぱい》していた。一言ずつ続く証言が、乾いたタオルに落ちる水滴のように感じられるほどだった。

なぜすぐに告発しなかったのか。なぜずっとそのままでいたのか。そのような悪意のある質問が成立しえないことを身体が見せてくれた。口が語るのとは別に、身体もその時のことを語った。かの女がどのような状態で、どのようなことを経験したのかについてだ。身体に霜が降りたように、かの女は凍りついたに違いない。証言する時のように蒼白に、いやそれよりもはるかに血の気がなく存在したのだろう。なぜ繰りかえしその日の被害を受けたのかだって？　精神がその日を思いうかべさえすれば、身体もその日を思いうかべて凍りつくのに、いったいいかなる身体で抵抗し、告発し、闘争できるというのか。

ニーチェは「他人の血を理解するのは容易にはできない」[*18]と書いた。血で書き、血で語ったものは、ページをめくるようには理解できないという意味だ。ページをめくったり画面をスクロールしたりするわたしのような部類の人間に対して書いている言葉だ。真理に切られたこともないくせに真理とは鋭いものだと知ったかぶりして語る人びと。文房具のカッターナイフで切り傷を負った子どももそれを思いだす時に顔をしかめるのに、わたしたちの多くが苦しい現実をなんら痛みもなく語ってきた。

＊18　ニーチェ、氷川英廣訳『ツァラトゥストラはこう言った』上巻、岩波文庫、一九六七、六二頁。

Metoo運動が韓国で本格化した時もそうだった。〔二〇一八年、生放送のニュース番組で〕ソ・ジヒョン検事が苦しみのなか、検察で受けたセクハラを告白した時、わたしはすでに知っていたというように言いなおした。そうだな、検察、記者、教授、政治家たちをはたけばいくらでも出てくるよ。証言を見まもっていたわたしも妻も加害者たちに「悪いやつだ」と言ったが、声をふるわせた妻とは異なり、わたしは法典を開いた判事のように落ちついていた。

性暴力から家事労働、ガラスの天井に至るまで、女性に対する暴力と差別の実態を告発する話が出てくるたびに、わたしはかなり前からわたしが知っていた現実だと考えた。家事労働とケア労働は女性が担ってきたし、女性世帯主の貧困率は三〇%を超え、新入社員のうち女性は二〇%に過ぎず、賃金は男性の六〇%しか受けとれず、女性経営陣は二%ほどである。インターネットには女性卑下があふれかえり、女性は男性の愛する妻であったり、恋人であったりする時すらも深刻な暴力に晒されている。

わたしが知る現実はこのように統計の、情報の、論理の現実だ。このような不当な現実を非難しつつも、なぜわたしはわなわなとふるえないのか。わたしにとってこの不当性は統計的で知的で論理的な不当性であったからだ。それは平均的男性や例外的男性が犯す暴力であった。平均的男性はわたしを含むが、切っても血の出ない抽象的人間であり、例外的男性は切れば血が出るとはいえ、わたしと関係のない外界の人間だった。だからわたしは痛みなしに現実を非難できたのであり、このような現実で問題なく過ごすことができた。

しかしMetoo運動は、むごい性暴力犯罪者が普通名詞としての男性ではなく、固有名詞としてのイ・ユンテクであり、オ・テソクであり、コ・ウンであり、パク・ジェドンであり、キム・ギドクであり、アン・ヒジョン[*19]だということを見せた。あちこちで加害者の名前が呼ばれるたびに、わたしがかれの表情を知り、声を知り、ある時には握手まで交わした男たちが立ちあがった。そうしてもはやわたしの周辺の無名人まで名前が呼ばれている。かれらは足首の電子タグではなく名誉勲章をつけて

＊19 イ・ユンテク（一九五二〜）は劇作家・演出家、オ・テソク（一九四〇〜二〇二二）は劇作家・演出家、コ・ウン（一九三三〜）は詩人、パク・ジェドン（一九五二〜）は時事漫画家、キム・ギドク（一九六〇〜二〇二〇）は映画監督、アン・ヒジョン（一九六五〜）は政治家。

いた人びとだ。あるいは少なくとも周囲から賞賛を受けていた人びとだ。しかしかれらが世の中の勲章と電子タグ、昼と夜を取りかえる暴力をふるったのだ。

わたしの苦痛は他人のものになりえないとよく言われる。苦痛とはあまりにも固有なものだから、誰もその苦痛を持ち去ることはできないという意味だ。その人の苦痛を感じようとするならば、その人の身体を持たなければならない。不可能なことだ。しかしその人の苦痛がわたしの苦痛を呼びおこすことは可能だ。一人がふるえながら自分の過去を呼びおこす時、似たような傷を持った横の人も身体がふるえるのを感じる。その人の身体が過去へ戻る時、わたしの身体もしきりに過去へ戻ろうとする。わたしの身体はその人の身体で生じたことを推しはかることができるし、予感することができる。

ところでMetooの波がわたしにも小さな過去を一つ呼びおこす。二五年前、わたしが通っていた学科のある実験室で、教授が助手にセクハラをした事件があった。おかしなことに、現在も教授に後ろ首をつかまれた時の感覚がよみがえる。学科代表として真相調査を要求するポスターを貼っただけだ。わたしの後ろ首をつかんで、こんな奴はどの実験室でも受けいれてはならないとさけんでいた教授がいて、ホテルに連れ込んだわけでもないし手をちょっと触ったのがどうして問題なんだとさけんだ教授もいた。加害者の教授は後に有罪宣告を受けてからもこの地に暮らし、当事者の助手は傷だけを負ったままこの国を去ってしまった。勉強ができるほうではなかったが、わたしもまたそこに居続けることができず、居続けるつもりもなかった。そのようにしてそこを去った。

今日、ふと気づいた。Metoo の記憶は With you の記憶を呼びおこすということ。衝撃に晒されて、恥を感じる時に、大切なものが思いうかぶということ。手がふるえ、喉が詰まる。

被殺者は免れても殺人者は免れることができない

異邦人への恐怖がおかしいのではない。抑圧された異邦人を助けることを誇らしく思ったアテネ人たちもオイディプスが辺境の村クロノスに到着した時、このように言った。「わしらの土地から／さっさと立ち去れ、もうこれ以上の負担を／わしらの町にかけないように」。[*20] 父を殺し母と寝床に入ったというオイディプスに対する酷い噂が先に出回っていたからだ。

それでもアテネ人たちは災難についてオイディプスに直接聞いた後、かれを受けいれた。オイディプスの運命に近づくことをためらいつつも、かれを保護する勇気を出した指導者テセウスの言葉が印象的だ。かれは自分もかつて「異邦人」であり、明日がどうなるかわからない一介の「人間」だったと言った。異邦人を歓待した主人は、自分もまた昨日の異邦人であったことを記憶する人であり、明日再び異邦人になるかもしれないと認識した人だったのだ。実際かれが個人史のように告白したのは人間存在に対する洞察だ。あらゆる主人はある時には客であったし、あらゆる人間は暫定的に異邦人だということ。それゆえ異邦人に配慮することは自分自身に配慮することだということ。

しかしある都市がこのような風習で高い評判を得たということは、これがいかに困難でまれなことなのかについての反証でもある。誰でも簡単にできることでは賞賛されないからだ。戸をたたく異邦人は天使かもしれないが、強盗かもしれない。状況が確実ではないならば、戸締まりをしておくのが安全だ。わたしたちが未知の存在に対して希望より恐怖を大きく感じるように進化してきたのには、それなりの理由があるだろう。わたしたちの存在の根底では、わたしたちの安全の責任を取る声が絶えず警告する。戸をむやみに開けば殺害されるかもしれない、と。

それにもかかわらず、わたしたちのなかのテセウスはなぜためらいつつも勇気を出すのか。わたしたちの存在の高いところからもう一つの警告が聞こえてくるからだ。戸締まりをしておけば今すぐに被殺者になることは免れるかもしれないが、殺

＊20　ソポクレス、高津春繁訳『コロノスのオイディプス』岩波文庫、一九七三、二一頁。

人者になることは免れえないのだ。そして誰かを死ぬがままに放置することは、結局自分のなかの人間を死ぬがままに放置することである、と。

「わたしたちの存在の一部はまわりにいる人たちの心のなかにある」。プリーモ・レーヴィの言葉だ。「自分が他人から物とみなされる経験をしたものは、自分の人間性が破壊されるのだ」。レーヴィはアウシュビッツが人間絶滅収容所である理由をガス室に求めなかった。ガス室へ行く前に、すでに収容者たちは人間破壊を経験する。「隣人から四分の一のパンを奪うためにその死を待つもの」[*21]になるのだ。他人をそのような目で見る人、他人の目にそのように映る人は人間ではない。ユダヤ人をそのような状況に追いやったドイツ人たちも同じだ。ユダヤ人たちを火葬場の燃料程度に見る限りにおいて、かれらもまた自分のなかの人間を殺害された人だ。

人間絶滅収容所を抜けだす前、レーヴィは収容所がようやく死んだという証拠を探しだした。ドイツ人が患者たちを放置して去った場所で、一人がかけらのパンを一緒に分けようと提案した時だった。それ以前、収容所の不文律は次のようなものだった。まずお前のパンを食え、そしてできるならば隣人のパンも食え。生存が問題になる場所だから倫理を糾す隙がないのだ。しかしこのような不文律が語るのは、ここが人が暮らすことのできない場所、つまり人間絶滅の場所だという事実だ。結局このような収容所を壊して人びとを生かすのは、わたしのパンひとかけらを分けてやる行動であった。

レーヴィはこの残酷な人間絶滅収容所が「異邦人は敵だ」という文章から始まったと書いた。わたしたちの魂の根底の大前提としてこの文章が位置づいた後、ある瞬間に論理的転回を通して死の収容所を導き出したということだ。アウシュビッツは特定の場所にあった特別な施設であるが、それを生んだ文章はどこでも目にすることのできるありふれたものだ。異邦人に対する敵対視はすでに書いたように、かなりありふれた反応だ。珍しいのは異邦人にパンひとかけらを分けてやることだ。ユダヤ人難民たちが押しよせて来た時、そしてドイツがかれらを処理することを事実上強要した時、自分のパンを分け、それに抵抗したヨーロッパ国家も、デンマークとブルガリアの他にはほとんどなかった。

＊21　プリーモ・レーヴィ、竹山博英訳『改訂完全版 アウシュヴィッツは終わらない——これが人間か』朝日新聞出版、二〇一七、二二三頁。

しかしこのまれな行動に「人間の可能性」、より正確に言えば「人間である可能性」がかかっている。わたしたちがわたしたちの安全を心配し、わたしたちのパンを握りしめることは、理解できるしありふれたことだ。しかしここには生存があるが思考がなく、個人はあるが人間がない。わたしを離れてあなたに近づくことができなければ、つまりわたしのなかにあなたの場所を許容できないならば、「気づき」という言葉も不可能であるし「共に」という言葉も不可能だ。

二〇一八年夏、数万名が死亡している戦争のさなかを辛うじて脱出した難民たちが済州島に来ている。不幸なのは自分たちに対する騒がしい噂よりも遅れてかれらが到着したということ。かれらがオイディプスのように状況を打開していくことができるかはわからない。ここがアテネなのか、わたしたちがテセウスなのかが不確実だからだ。かれらは遠からず偽装難民かどうかについて審査を受けるだろう。しかしこの審査を通してわたしたちも、この国も審査を受けるということを知らなければならない。五〇〇人の〔難民の〕前に立った五〇〇〇万人〔の韓国人〕。わたしたちが思考する存在である可能性、わたしたちが人間である可能性が〇・〇〇一%を超えないということはあってはならないことだ。かれらを放棄することをもってわたしたちを放棄してはならない。

第三部　空席を耕すこと

記憶とは空席を用意して見まもること

※本稿は二〇一六年七月一二日、ノドゥル障害者夜学における四・一六セウォル号惨事作家記録団『また春がきます』（創批、二〇一六）出版記念講演で発表したものだ。以下引用文のページ数はすべてこの本のものだ。

その人の空席

今わたしたちの前に置かれている本はセウォル号事件で生存した学生と兄弟姉妹たちについての話です。愛する人を失った時、その人に留まっていたわたしたちの心は簡単に戻ってきません。その人の空席の周囲をかなりの間ぐるぐる回りますよね。もはやその人が存在しないということはわかっていても、なかなか認めることができないものです。愛が深ければ深いほど、不在を認めることは苦しいのです。だからその存在を否認するよりか、むしろ現実を否認しようとします。その人がいない現実で生きるよりか、むしろその人がいる幻覚で生きようとするのです。

しかし時間が流れれば、わたしたちは結局愛する者がいない現実を受けいれていくでしょう。その人がいるならば生じてはならないことが起こり、その人がいるならば生じるべきことがこれ以上起こらないからです。たとえばセウォル号事件で兄を失くしたスボムさんにとっては玄関を開けて部屋に入る時、いつも見えていた兄がこれ以上いません。「パソコンが一台しかなかったので兄と一緒に使いました。兄が一時間やって、わたしに譲ってくれました。玄関をあけて靴を脱げば、いつも兄のカバンが見えて、兄が部屋で座ってパソコンをしていました。「うん、おかえり」といつも喜んでくれました。でも今は玄関を開けた時、電気が消えていて、兄がいないから、それが一番つらいです」(四一頁)。

このようなものを精神分析学では「現実吟味」と呼びます。愛する者のなかに留まっていたわたしたちの思い、わたしたちの感覚がもはや現実的ではないということに気づいていくのです。ここには長い時間が要されます。わたしたちはその人がいない現実へ戻ることを本当に嫌がるからです。「その人はもういない。これが現実だ」という言葉を覆す一片の証拠でもあってくれればという思いで、わたしたちは周辺をくまなく見わたします。それほどわたしたちはその人が不在する現実を認めたくないのです。しかしいずれにせよ、わたしたちはその人が履いていた靴にもう温気がないことを確認します。机の上の本と鉛筆、ベットの布団がいつもそのままであることを見ます。このようにわたしたちは結局現実を受けいれます。

わたしはこの本できょうだいを失くしたソヒョンさんが悪夢と、悪夢よりも悪い現実の間で「〇・数秒」のあいだ安堵した話をする時、胸が締めつけられるように悲しく思いました。「何日か前に夢を見たんですがジヒョンが出てきたんです。でも、夢にジヒョンがいません。ジヒョンが見あたりません。ジヒョンを探しても探しても出てきません。夢で嗚咽しました。ジヒョンがいないから。そうしていると夢から覚めました。「ああ、よかった、夢だった」と思ったんですが。現実にもジヒョンがいなくって。そのちょっとの間の〇・数秒、一秒、五秒にもならない瞬間の間、安心したんです。「ああ、夢だった」と思ったんですが、これが現実だということに足先から頭のてっぺんまで鳥肌がたちました。(……)起きてからそのちょっとの間、「ああ、本当に、本当によかった」と思ったんですが、それは夢なのに……ジヒョンがいない現実、これは覚めることができないじゃないですか」(三二八—

三一九頁)。「悪夢」は少なくとも覚めることができるだろうが、覚めることのできない悪夢としての現実を受けいれなければならないのは、本当に簡単ではないことでしょう。長い涙の時間を経由して、わたしたちははじめて現実を認め、再び心の健康を回復します。

現実吟味

ところでこのような現実吟味が不可能な人びと、このような現実吟味によってより深く病む人びともいます。現実を認めてこの現実に自分を合わせることが不可能な人びと、いや、そうなれば自分を正常化するのではなく、さらに非正常化することになってしまう人びと、そのようにさせる死があります。かれらは現実で非正常扱いを受ける人びとです。かれらにとっては現実を認め首肯することが自分の非正常性を再承認することになります。愛する者の死が差別された生の証言である時、それゆえその死が生と同じくらい周辺化され排斥されたものである時、わたしたちは現実への復帰が、わたしたちがあたかも死にながら過ごしてきたような生への復帰、という感覚を持ちます。葬儀を終えて日常に復帰することが、死の世界から生の世界にやって来るという感覚を与えないのです。現実、日常、生の世界とは、わたしたちが死にながら過ごしてきた、そして死にながら過ごさなければならない世界だからです。愛する者をみおくり、わたしたちは死と生、哀悼と日常の区分線がかなりあいまいになった人びとです。その人をみおくった後に、生と死が同じだという、もの悲しい考えになるのです。

しかも愛する者の死が現実と連累している時、現実への復帰はわたしたちにさらに深刻な問題を引きおこします。つまりわたしたちが復帰する現実が、単にその人が不在の現実ではなく、その人を死へおいやった現実であるならば、状況は簡単ではありません。もしわたしたちがそのような現実へ軽々と復帰するならば、わたしたちの復帰は愛する人を殺した現実に協力したり、少なくとも黙認するという認識が生じるのです。一言で言えば、わたしたちに罪の意識が生じるのです。だからわたしたちはより一層痛みを感じるのです。愛する者を失った喪失感に罪の意識まで加わるからです。したがってこの場合の現実に対する承認と復帰は、わたしたちを致命的な危険に陥らせます。だからわたしたちが愛する者の棺にしがみついて「こんなふうにはみおくれない」と声を振りしぼって泣くのは、わたしたち自らに「こんなふうには復帰できない」とさけぶことでもあるのです。

わたしたちが四年近く座り込んでいる光化門《クァンファムン》の現場は、障害等級制と扶養義務制を廃止するための闘争空間ですが、亡き人に会う葬儀の場であり、換言すれば哀悼空間です。わたしたちは亡き人たちをみおくらないことを通して、かれらが生きてきた、かれらを殺した、そしてかれらがこれ以上存在しない、そのような現実への復帰を拒否しながらつくった空間です。いつだったか光化門の座り込み現場の泊まり番をした夜、わたしは向かい側におかれている、ジウとジフン、キム・ジュヨンさん、ソン・グクヒョン兄の遺影をゆっくりと見ました。かれらは言葉なしに明るく笑っているばかりでした。

しかしわたしたちの誰かが遺影のなかの亡き人たちの沈黙を不義の現実に対する絶叫として聞くならば、かれらの明るい笑みをかれらの生と死に対する慟哭《どうこく》として聞くならば、わたしたちはそれをただ幻覚だと言いきれるのでしょうか。もし現実吟味なるものがこれを幻覚とみなすことならば、つまりかれらの声や素ぶりはこの世にもはや存在しないのだから、いつもの日常に復帰することの要求であるならば、そのような復帰こそわたしたちをより深く病ませるのではないでしょうか。おそらくこれはかれらが沈黙で発する絶叫と明るい笑みであふれさせる慟哭を埋葬してしまうことになるでしょう。しかしわたしたちはそのような埋葬は成功できないと知っています。そのように埋葬したり、抑圧したりしたものはわたしたちに必ず戻ってくるからです。哀悼を終えたわたしたちは健康になるのではなく病むことになります。

わたしたちは現実を変えることなしには現実へと復帰できないということを認めなければなりません。つまり現実を認めることではなく、現実に対する変革を認めなければなりません。精神分析学における現実吟味は、現実に照らして自分の意識と感覚を修正することです。しかしわたしは現実吟味が「わたし」に対する吟味ではなく、「現実」に対する吟味でもありうると考えてみたいのです。亡き者の不在と沈黙が現実に対する告発である時、わたしたちが亡き者の死から、「わたしの死を無駄にするな」という声を明らかに聞いた時、わたしたちの健康は現実の承認ではなく現実の変革にかかっていると言えます。

空けておくことと削除すること

スボムさんは最近引越しをしたと言います。しかし引越し先の家に、亡くなった兄の部屋を用意したと言います。ベッドや本棚もあり、写真、セウォル号の指輪と腕輪まで、物を整理したと言います。「一〇〇%よいとは言えませんが、兄がいると思うと気分がいいです。でも兄がいないので虚しくはありますが」（五二頁）。愛する人の空席を消さないのです。最初に述べたように、去った人をみおくろうとしない思いが、その人が使っていた物やその人が座った席に愛着を見せるのだとも言えます。

ともすれば愛する人がそこに宿っているとも言えるでしょう。死は絶対不在ではなく不在形式の存在だと、亡き者は「宿るという方法で存在」すると言えます。これは精霊についての魔術的な話ではありません。わたしたちの記憶はほとんどの場合、物の助けを借ります。物はわたしたちが望もうが望むまいが記憶を呼びおこす存在です。愛する人と深く連関した物や空間は、わたしたちがそれに触れるやいなや心のなかでその人を呼びおこします。あたかもそこでわたしたちを待っていたかのように、その人がわたしたちの心のなかに飛びこんできます。〔多くの生徒が亡くなった〕壇園《ダンウォン》高校につくろうとしている記憶教室にもこのような面があるでしょう。亡き者となった学生たちがともに座っていた席、かれらが再び戻ってくるべきであった席、かれらの遺品がそのまま残っている席。それを片付けてしまうのは、かれらが宿る物と空間を片付けてしまうことです。愛する者の喪失を経験した人びとにとって、この物と空間に対する棄損は、もう一度の喪失を経験させます。

しかしわたしは少し異なる文脈でこの問題をもう少し話したく思います。亡き者たちの空席を保存し、また空席を用意しておくことと、その空席を消すことについて考えてみようと思います。「空いている」は言葉通りに「ない」という意味です。ではは「空いていること」を「なくす」ことは同語反復でしょうか。全くそうではありません。「空いて―いること」は実際のところ「いること」の一方式です。空席はわたしたちにとってそこにいた人とその人のことが占めている席、その人が宿っている席、その人に対する記憶が座っている席です。それを「なくす」ということは、記憶を抹消することであり、事件を抹消することであり、存在を抹消することです。しかしわたしがここで特に強調したいのは、亡き者の空席、亡き者の沈黙がわたしたちが生きていく現実に対する重大な発言である時、換言すると真実の場所であり、声である時です。この時、空席をなくすことは真実を埋葬することと同じです。

わたしがこの問題を思いうかべたのは、セウォル号事件の生存者であるパク・ジュンヒョクさんと、兄を失ったミニョンさんの話を聞いてからです。ジュンヒョクさんは歴史学科に進学したそうですね。かれが歴史を勉強することを決心したのはいろんな理由があるでしょうが、セウォル号事件も外すことはできなかったでしょう。かれは「国民保導連盟事件[*1]」を例にあげました。二〇万人が死んだといいますが、その二〇万人がどのような生を生きたのか、どのような人びとなのかがよくわからないと言います。ミニョンさんも歴史について関心が高まったと言います。かの女は「有利なことを全部入れて不利なことを全部外す」国定歴史教科書について憤慨

＊1　国民保導連盟は、左翼勢力を統制・懐柔するために一九四九年につくられ、左翼転向者らが組織された。国民保導連盟事件は、一九五〇年の朝鮮戦争勃発直後、韓国の軍と警察によって連盟員が検束・処刑された事件。

しました。

この二人でなくともわたしたちはセウォル号事件に関する話には省略されたもの、抜けおちたものがかなり多いと知っています。そしてその省略された箇所、抜けおちた箇所、空いている箇所に真実があるということも知っています。真実が沈黙のなかに、不在のなかにあるというわけです。だから空席の見まもり番をすることはとても重要です。真実の席だからです。空席を埋めさせてはいけません。その反対に空席があらわになるようにするのが重要です。遺影のなかの亡き者たちの沈黙を絶叫として聞くことができなければなりません。亡き者たちから聞いた絶叫と慟哭を現実性なき幻覚として処理してはなりません。非現実的幻覚が幻覚的現実を突きやぶる真実の音声になることもあるのです。現実に対する順応を拒否した六八革命の若者たちが「想像力が権力を奪う」と叫んだのもそれゆえでしょう。

障害者たちはみんなよく知っていると思います。わたしたちの哀悼は死んだ者から日常現実へ再び戻ることでは終われないということを。たとえばソン・グクヒョンさんは事実上は障害等級制ゆえに死にましたが、わたしたちが葬儀を終えて再び障害等級制の現実へ戻るということは何を意味するでしょうか。現実への復帰は、たんに死にながら過ごさなければならない現実への復帰だということ、したがって生への復帰、健康な自我への復帰になりえないことをわたしたちは知っています。光化門の座り込み現場でわたしたちが期限のない葬儀を続けていく理由がこれなのです。それこそが空席に遺影を置き、わたしたちが亡き者と向かいあってずっと葬儀の日々を送る理由でしょう。

記憶するということ

空けておくこととは削除することではなく用意することです。覆ってしまわず、埋めてしまわず、削除せず、席を用意することだと言えます。全泰壱《チョンテイル》烈士が自分を記憶してくれと次のように述べました。記憶するということは「あなたたちが知っている、あなたの領域の一部であるわたし」のために席を用意してやること。かれが宿る席。つまりかれがわたしたちのそばに座って言葉をかけることのできる、その席のことです。誰かを記憶するということはわたしたちのなかにその人のための席、その人が宿りわたしたちに言葉をかけるその席を用意することだと言ってもよいでしょう。

この席は個人的な哀悼のためにも必要です。姉を失ったジョンミンさんが失ったものを満たそうとしない時、そのようなものを感じます。姉の痕跡を見るたびに押しよせてくる悲しみを感じますが、かの女は次のように言います。「失ってしまったものたちについて無理やり満たしたりはしたくありません。(……)失った時間はひょっとすれば姉とわたしのために残すことのできる時間のようです」(九三頁)。これはきょうだいを失ったイェナさんが教室の空席を見て感じるものとそう変わらないでしょう。子どもたちの物が片付けられたことに対する衝撃、しかし空席が並んで、ともに置かれているのを見てかの女は言います。「痛ましいのですが、おかしなことに慰めになるんです。一緒に、それでも一緒にいるんだなって」(二一七頁)。

きょうだいを失ったボナさんは「死んだ者の人権」について語っています。亡き者の人権が可能だというのはその人が「存在しない者」ではないという意味です。記憶においてであれ、現実においてであれ、その人の席を消すこと、その人が宿る席を削除し埋葬してしまうことは、その人を「存在しない者」にしようとすることですね。ボナさんは〔日本の植民地支配からの〕解放後に帰国しようとして難破した浮島丸にセウォル号を見たようです。当時、死体はそのまま埋葬されました。それ以降、人びとが闘いを通して段になった墓地をつくり、追悼碑に一人ずつ名前を刻んだと言います。そのようにしてかれらが宿る席を用意し、わたしたちの記憶にも席を用意したのです。

それゆえ今わたしが言いたいのは消えた席として、喪失した席としての空席ではありません。わたしはわたしたちがつくり出さなければならない、わたしたちが用意しなければならない席としての空席のことを言いたいのです。喪失した席ではなく用意した席、だからその人が消えた席ではなく宿る席のことを言いたいのです。わたしは記憶するとはそのようなことだと考えます。セウォル号の人びとを記憶するということは、ただ国家記録院の記録物としてではなく（もちろんこれも重要ですが）、わたしたちの社会に、そしてわたしたちのなかに、去った者たちが宿る席を用意することでなければならないと考えます。

『また春がきます』の主人公である生存学生ときょうだいたちは、いかんともしがたいなかで心に大きな空席を持つようになった人びとです。時には泣きさけび時には泣きむせび、時には怒り時には互いに慰めあいながら、時には努めて笑みをうかべつつ、かれらがその空席をどのように抱え、また耕しているのか、この本を読んで知らされました。亡き者たちの不在を抱えたままで、その不在を消さないままに生きていかなければならず、またそのように生きており、自ら生きぬいている人びと。時には露骨な非難によって、時には「申し訳ない」という言葉で覆ってもうおしまいにしようとするあらゆる試みに抗い、真実の空席を守りぬいている人びと、しかもその空席が絶望のどん底ではなく真実が咲く花畑になるよう努力する人びと（「絶望のなかで咲いたところで絶望ですよ。根をおろした場所が絶望だから抜けだすことができません。（……）ただ花畑で咲かせましょうよ。花は絶望のなかじゃなくて花畑にないといけませんね。わたしは花ではなく絶望を浄化する微生物になりたいんです」（二三六頁）。チェ・ユナさんのこの言葉は、香りを漂わせ塊を解体する方法を研究するという全泰壱の言葉を想起させます）。わたしたちが何をすべきでどこに立つべきかを悩むならば、わたしはかれらがそれを見せてくれたと考えます。ご清聴ありがとうございました。

「わたしたちが暮らす地はどこですか」

※本稿は「障害解放烈士　丹《ダン》」[*2]が主催した「二〇一七障害解放烈士学びの場」で、「キム・スンソク烈士、その死後の生について」という題名で二〇一七年一一月二三日に発表したものだ。

烈士、その死後の生

障害者闘争の座り込み現場（「障害者雇用公団座り込み現場」）で障害解放烈士についての講演をするというのは、わたしとしてはとても意義深いことです。ここは障害者に対する差別と排除に抗議する場所ですが、また障害解放烈士の学び場で烈士たちを記憶するために用意した場所でもあります。闘争の場所が記憶の場所になる

＊2　丹には「障害解放烈士たちの丹《あか》い革命の生と精神」という意味が込められている。

ということ、また記憶の場所が闘争の場所だということ。今日わたしが申しあげたいのはこれだからです。

昔の新聞記事の見出しから話を始めたいと思います。一九八四年九月二二日の『朝鮮日報』社会面に大きく掲載された記事です。「ソウルの道の「段差」をなくしてください」。あたかも全泰壱《チョンテイル》の「勤労基準法を遵守せよ」という叫びのように強烈なメッセージがとても恭しい文句で印刷されています。ここにいらっしゃる方がたはご存じの名前、キム・スンソク烈士の飲毒自決を知らせる新聞記事です。あらゆる死体は冷たいと言いますが、どうしてなのか飲毒自決をしたこの死体はさらに冷たいように思えます。

烈士たちの死。火を放って怒りとともに燃えあがる死もあり、血を湧きあがらせ怒りを吐きだす死もありますが、わたしにとってキム・スンソク烈士の死（そしてもう一人挙げるならチェ・オクラン烈士の死）は、氷の粒子が凝固するように恨《ハン》が凝固した死のようです。心臓を突きさす痛みがあり、はらわたを断ちきる痛みもあります。死もそのようなものでしょう。わたしにとってキム・スンソク烈士は障害者として受けてきた冷たい対応を告発するように、凍土においても凍らないまま残っている、そのような不凍の精神のように感じられます。

烈士とは誰でしょうか。今日の講演でともに考えてみたい問いです。かつて一九八〇年代、韓国の民主化運動は烈士たちとともに生きていました。闘争は烈士たちを生みだし、烈士たちは闘争を生みだしました。闘って死んだ者たちが生まれ、そのように死んで生まれた者たちが、死を覚悟し、少なくともそれを誓う、生者たちを導きました。

もちろん主流の民主化運動の歴史においてこれは昔話です。昔の用語で言えば、いまや烈士と戦士の紐帯は存在しません。烈士たちの忌日に集まる人びとは追悼者であって戦士ではありません。烈士や戦士自体が存在しない時代というべきかもしれません。闘争のなかで死んだ人が生じたとしても、その人は義のある市民や犠牲者市民になりはしますが烈士にはなりません。民主主義を要求するデモも起こりますが、ここで闘争する者たちは自分の権利を堂々と表現する市民であって戦士ではありません。つまり体制が自分たちに保障する権利を確認する人びとであって、権利を持つために体制を変革しなければならないという人びとではないのです。

ところで二〇一六年のチョン・テス烈士一四周忌追悼祭がとても印象的でした。

障害解放烈士の追悼祭に初めて参加した時でした。横断幕が掲げられているのも、字体も、追悼祭のやり方も、わたしが大学に通っていた頃の烈士追悼祭ととても似ていました。しかし妙なのは、「ここでは烈士がまだ死んでいない」と感じたことです。ちょっとおかしな言葉ですよね。烈士はすでに死んだ人なのに、です。実際に多くの民主化烈士たちは今では死んだ人として、「過去」の偉大な人物になりましたが、その日の追悼祭は、完全に「過去」の形式だったにもかかわらず、烈士がわたしたちのそばを去ったのではないことを、まだ生者たちとともにその場所に宿っていることを感じさせてくれました。

考えてみれば現在の障害者闘争において、生者たちと死者たちは異なる世界に属していません。生者たちの闘争においてはいつでも死者がともにいます。過去五年間にわたる光化門の座り込み現場で通路の半分を占めていたのは遺影でした。先に行った者たちは消えることなく、新しく来た者たちとともにいました。キム・ジュヨン、ソン・グクヒョン、パク・ジウとパク・ジフンきょうだいなど、いくつもの遺影が列をなして座っていました。光化門の座り込み現場の泊まり番をしたある夜、地下道のシャッターが下ろされて誰も通らない静かな時間に、わたしはその遺影をゆっくり見ました。それぞれごとにむせぶような縁がありますが、少なくともわたしにやって来たのは悲しみではありませんでした。なんらかのあたたかさを感じました。あなたたちがここにいてくれてありがたくて力が出ると言いたかったのです。生者と死者の距離が生者と生者の距離よりも近く感じられるのです。

もう一度自問してみます。烈士とは誰でしょうか。わたしはこのように考えます。その人は死後を生きる人です。今この「障害解放烈士学びの場」が一例です。死後を生きるということは来世を生きるということではなく、現世で「死後の生」を生きる人だということです。死んでわたしたちのそばにやって来て、またわたしたちとともに生きる人です。それゆえ「死んだ」という事実がその人を烈士にするのではなく、今ここに「生きている」ということが、その人を烈士にするのだと考えます。その人は生者たちの言葉と行動、意志と闘争のなかで生きている人です。

しかし、その人が「死んでも」わたしたちのそばに生きていることができる理由は、死以前の生、つまり生前の生ゆえです。その人が「死んだ」からではなく、その人が高貴に「生きた」がゆえに、その人は死んでもわたしたちのそばに生きているのです。わたしたちがその人の死を記憶するのはその人の生を記憶することです。わたしたちはその人の死からその人の生を読みとります。その人は生きようとし、生き、生かそうとしました。

しかしもう一度言いますが、高貴な生を生きたということでも充分ではありません。模範的な生を生きたということでは誰かを烈士と呼ぶことにはなりません。その人が死にながらさけんだ言葉は、生の知恵とは異なります。その人の死はその人の生の完成ではありません。その人の死には「やりつくせなかった」何かがあるのです。ある切実さ、ある恨《ハン》の凝固したものがあるのです。その人は自分に与えられた時間、自分が属した時代と沈んでしまうことのない言葉と行動、意志を残した人です。一言で言って、その人は歴史を貫通して、完成されない何かを伝達する人です。それゆえその人は歴史のなかに存在せず、現在に生きているのです。

わたしは今日、キム・スンソク烈士を通して「烈士とは誰か」という問いをつかんでみたいと思います。特別にキム・スンソク烈士でなければならないという考えはありません。ただキム・スンソク烈士について読む瞬間、あたかも労働運動の全泰壱烈士を見るようでした。一九八〇年代の末に始まる組織的な障害民衆運動に数歩先だって、運動を予告するように、いや運動を率いていくように、かれの死が時代の「前に」あったと思います。一九七〇年の全泰壱烈士の死が一九八〇年代労働運動と結んだ関係が、キム・スンソク烈士が障害者運動と結んだ関係にも設定できるのではないかと考えます。そしてかれが書いた遺書の短い文句が、それ以降の障害者運動の種になった文章のようだとも思いました。

しかし先ほど述べたように、必ずしもキム・スンソク烈士でなければならないとは考えません。キム・スンソク烈士はこの学び場を組織した「障害解放烈士　丹」が用意した追悼空間の最初の席にいます。しかし生者たち、とくに戦士たちが何かを引き継ぐ者たちならば、戦士たちの最初の席は烈士の席だという点で、わたしはその席をキム・スンソク烈士と呼んでいるだけです。

それでもキム・スンソク烈士についての話を本格的にする前にこのことを言っておきたかったのです。かれがぐりぐりと押しつけるように書いた五枚の遺書をそのまま読みあげたいのです。不幸なことに、今わたしたちが接することのできる資料は一九八四年九月二二日付の『朝鮮日報』の記事だけです。記者が抜粋して引用する文章がどのような文章へと続いていたのかを知りたいのです。烈士の心の流れに沿ってかれの言葉、かれの文章を感じたいのです。新聞記事とともに載せられた写真にはぼんやりと五枚の遺書が広げられています。そのぼんやりとかすれた文章、拡大すれば白黒の点々になってしまう遺書の文章を、全部読むことができたならどれほど良かっただろうか、この講演原稿を準備する間はずっと、この思いを振りはらうことができませんでした。

かれが生きてきた地、つまりかれが死んでいった地

キム・スンソク烈士は一九五二年に釜山《プサン》で生まれました。五歳の時に小児まひにかかり、その後遺症で足を引きずったと言います。一九七〇年、つまり一八歳でソウルにきて小さなアクセサリー工場に勤めました。そうして九年経って工場長になりました。かなりの素質があったのではないかと思われます。かれはその頃結婚して息子が生まれました。そのようななか、一九八〇年秋に交通事故に遭いました。三年の闘病生活をして、その後は車いすを使う障害者になりました。ここまではかれが損傷を負った身体を持つようになった事情です。

これからはこの損傷がどのように障害化されるかを検討していきましょう。損傷を負った者がこの社会でどのように無力化されたのか、どのようにその存在を否認

されるようになったのかを見ていきましょう。「一九八〇年、ソウル」。これはとても長く、そして広範囲に展開された時空の一断面です。局面の変化が一部あったとは言いますが、とても長く前から始まり、現在もつづいている長期持続のある時点です。時間（速度、リズム）と空間（敷居、階段、へこみ）の独特な構造、独特な幾何学が特定の存在を追いだします。そうするとそのような存在は立体の奥まったところへと追いやられ、そこに滞留して腐っていきます。

一九八〇年、ソウル。キム・スンソク烈士の遺書からここがどのような場所なのかを読んでみましょう。第一に、ここは物理的排除の空間です。「市長さん、なぜわたしたちは路地ごとにある食堂の敷居で飢えを我慢して後戻りしなければならないのでしょうか。なぜわたしたちは喉を湿らせる一滴の水を飲むために敷居ってやつと格闘しなければならないのでしょうか」。「市内のどこに行くにも敷居ってやつとぶつかって取っくみあいをしなければなりません。またわたしのような人びとが入れるトイレはどこか一か所でも用意してくださいましたか」。

第二に、ここは心理的排除の空間です。キム・スンソク烈士は注文をとったり商品代回収のために四〜五日に一度市内に出ていかなければなりませんでした。

南大門《ナンデムン》市場の路地をかきわけていく時、リヤカーや路地の行商たちが吐くありとあらゆる悪口と冷たい言葉を聞きました。空車のタクシーはかれの車いすを見るやいなや、停車せずに走り去りました。

第三に、ここは社会的排除の空間です。物理的な移動制約と心理的な卑下は社会的な関係形成を不可能にします。たとえ一時的に関係が形成されたといっても、それは同等なものではなく依存的で従属的なものです。キム・スンソク烈士は市長にこのように言いました。「わたしたちはなぜ横断歩道を渡るたびに通行人のベルトをつかんで手助けを求めなければならないのでしょうか」。一種の物乞い関係が形成されるのです。

第四に、ここは経済的排除と搾取の空間です。工場に通っていたキム・スンソク烈士が、事故以降、自分の借家に作業台を準備しなければならなかった理由は、障害者になる瞬間に正規労働者の地位を剥奪される現実と関連しているでしょう。それのみならず、心理的で社会的な排除は経済的関係の形成も防げます。障害者であるかれに仕事を任せる人は多くありませんでした。そして製品を注文した場合にも、かれの劣悪な状況を搾取の機会として活用する場合が多かったのです。一般の場合より「一〜二割ほど安価で契約」しようとするのです。単価をもっと安くしろという圧力も加えてです。

第五に、ここは公安的空間です。障害者を物理的に、心理的に、社会的に、経済的に排除した段差を管理する権力の空間です。命を絶つ二か月前、キム・スンソク烈士は交通巡視員の取り締まりに引っかかり、警察署の留置場に入りました。工具を借りにサンス洞に行く途中だったのですが、路肩の段差のせいで横断歩道のほうへ行くことができませんでした。結局かれは傾斜のあった車道側を利用したのですが、そのせいで無断横断として取り締まられたのです。横断歩道を横断できないようにしていたことは無視し、警察はその横断できない横断歩道の秩序を守護したのです。だから違反者であるキム・スンソク烈士を処罰したのです。

これは簡単な問題ではありません。処罰の程度、たとえば一晩留置場の世話になることや少額の罰金を払うような問題ではありません。この深刻さは、誰が違反者なのかというところにあります。横断歩道を横断できないようにした社会か、横断歩道を横断しない障害者なのか。そもそも障害者が横断歩道を通って道路を渡ることができないので、横断歩道を渡らなかったと処罰することは、障害者という存在自体が犯罪化されたことに等しいのです。翌朝、警察署の留置場から出て家に帰ってきたキム・スンソク烈士。妻はその時の姿を次のように証言しています。「翌朝、家に帰ってきたあの人は、工具と、心をこめてつくった金型や製品を荒々しく壊しました。狂ってしまったかのようでした」。

短い新聞記事だけを持っているわたしとしては「一九八〇年、ソウル」についてこれ以上引用する内容はありません。しかしその必要もありません。幸いなことに、そして不幸なことに、キム・スンソク烈士の経験は特別なものではなかったからです。過去の新聞記事をめくってみると、狂ってしまったり、自殺したり、死んだまで生きていく障害者たちの話をいくらでも見つけることができます。キム・スンソク烈士はその無数のうちの一人であっただけです。また、幸いなことに、そして不幸なことに、「二〇一七年、ソウル」は「一九八〇年、ソウル」からそれほど遠くはありません。当時のソウルを充分に想像できる程度に、今のソウルもそう遠くまできたわけではないということです。障害者の移動権闘争によってすべての地下鉄駅にエレベーターが設置され、ノンステップバスが導入されたのがわずか数年前です。活動保護人〔介助者〕制度が整備されたのも同様です。そしてそれらは依然として充分ではありません。今も施設では数万人が社会から孤立したまま死んでいきながら生きています。狂ったり自殺したり死にながら過ごしたりしています。わたしたちは依然として障害者差別体制の長期的持続のなかで生きています。

遺言、烈士が残した言葉

「わたしたちが暮らす地はどこですか」。エジプトを離れたモーセが定着すべき場所を知らず神に捧げる祈祷のように聞こえる言葉。しかしキム・スンソク烈士のこの言葉は祈祷ではありません。この言葉は「この地で暮らすことのできない存在」としての「わたしたちは誰なのか」という問いであり、領土から物理的に、心理的に、社会的に、経済的に、公安的に排除された者の大地に対する自己権利の主張です。それは「この地でわたしたちが暮らせるようにせよ」という要求であり、「この地で暮らす」という宣言です。「わたしたちが暮らす地はどこですか」。これは先ほどのあらゆる話を凝縮している、いかなる時間の歯によっても噛みきることのできない、ダイアモンドのような文章です。

ニーチェは「時間の歯が噛むにはあまりにも強固で数千年経っても消化されない

まま残る」文章があると言いました。[*3] あらゆる時代の糧食として消費されつつも、食べ物の中の塩のように決してにぶることのない素晴らしい警句があるということです。明らかに生のある真実がこもった素晴らしい作家の言葉、数百数千年のあいだ人類精神を呼びさましてきた哲学者の言葉のようなものがあります。人類に時間を超えて残された言葉です。残された言葉、それを遺言といいます。ある点では立派な哲学者たちの言葉はすべて遺言です。

しかしこのような類の遺言は、時間の歯に耐えぬいたとしても、烈士の遺言とは異なります。たとえばソクラテスは死ぬ直前にこのような言葉をのこしました。「クリトン、アスクレピオスに雄鶏一羽の借りがある」。[*4] この言葉について何人もの後世の哲学者たちが解釈を試みました。アスクレピオスは医術の神なので、アスクレピオスに捧げものをしなければならないということは何かが治療されたという意味でしょう。ニーチェは死の瞬間に治療される病とは「生」であるしかないと、結局ソクラテスは「生は病だ」と述べた体たらくなのだと嘲弄しました。心のなかに隠しておいた生についての厭世的態度が死ぬ瞬間飛びだしたということですね。

しかしミシェル・フーコーが『真理の勇気』(*Le Courage de la vérité*)という本でソ

まく解明しているように、ソクラテスの生において、その重要な瞬間にも、そのような戯画的な言葉が出てくる可能性はないように思えます。それよりは、大衆たちの通念と視線を意識して脱獄を勧めたクリトン、そしてかれと対話することを通してそのような見解に一定程度染められたソクラテス、この二人の「誤った見解」という「病」から抜けだしたことに感謝するという儀礼に見えます。

言ってみればソクラテスは死ぬ前に治癒されました。生きている時に完全に治癒されたのです。かれは誤った見解から自分をよく守りぬきました。そしてかれは弟子たち、もっと言えば世の人びとに自身の生をよくケアすることを求めます。子どもたちに伝える言葉を問う弟子たちにも、かれは同じように答えます。「いつも言っていることだけだ。クリトン、何も新しいことはない」。[*5] かれの遺言は生について

＊3　ニーチェ、中島義生訳『人間的、あまりに人間的II』ニーチェ全集第六巻、ちくま学芸文庫、一九九四、一二二―三頁。
＊4　プラトン、岩田靖夫訳『パイドン』岩波文庫、一九九八、一一八頁。
＊5　前掲、一六九頁。

の知恵の再確認であり、自分の充溢した生に対する再確認です。

烈士も友人たちに、そして世の人びとに言葉を残します。しかしその言葉は哲学者の言葉と異なります。それは生に対する知恵の伝授、自分が感じた生の充溢さの伝達とは異なるものです。哲学者の言葉と異なって、烈士の言葉は「やりつくせなかった」何かを、恨《ハン》が凝固した何かを、完成されない何かを伝達します。わたしたちの生において埋葬されることができないもの、閉じてしまうことができないものがあると言ってくれます。

ソクラテスも、キム・スンソク烈士も、わたしたちに何かを呼びさまさせるという点では同じです。しかし呼びさます者としてのソクラテスは教育者に近いのです。かれはわたしたちに生を理解させます。しかし呼びさます者としてのキム・スンソクはわたしたちを耐えがたくさせます。かれはわたしたちの生を理解できないものへとつくりかえます。なぜわたしたちがこのように生きなければならないのか、わたしたちは理解できません。キム・スンソクはわたしたちの存在は理解することもできず、理解してもならないのだと示してくれるのです。

哲学者がわたしたちのなかに教育者として位置づいているならば、烈士はわたしたちのなかの運動家として位置づいています。哲学者が頭をさますならば、烈士は体をさまします。気づきないし覚醒という一つの出来事が二つに分化するのです。哲学者が一つの道であれば、烈士はもう一つの道なのです。

治癒された者は去ります。ソクラテスはあちらの世界でも師匠と友に出会って哲学者の道を歩みつづけるのだと言いました。しかし恨《ハン》が凝固した者は去りません。わたしは死んでも去らずにここにいるのだと、あなたたちが闘う場所にわたしの席を用意してくれと言うのが烈士です。烈士は死んでもここに留まる者です。哲学者は言葉を残して去りますが、烈士は言葉とともにここに残ります。

猶予された葬儀

死者をそのまま死なせるわけにはいかないというのは生者たちの要求でもあります。烈士が現世で死後の生を生きていく理由は、烈士の意志と同じくらい生者の意志ゆえでもあります。マイノリティたちの闘争で葬儀闘争が持つ意味がここにあります。この世界から追いやられた存在たち、この世界から排除された者たちが、この世界からそのまま去るということ、それゆえこの世界に存在しないように存在した者たちが、もう存在しないものになるということ。この時に死は「死んだまま生きた生」に対する確証になります。存在することを否認されてきた存在が最終的にその非存在性を確認する瞬間です。その者の死を認め、正常的な生へと戻ることができるでしょうか。マイノリティたちにとってこれは簡単ではありません。なぜならその者の死もまた「死んだまま生きている」自分たちの生に対する確証であるからです。したがってその者の死を受けいれることができません。

この場合、葬儀の儀礼はその者の死を否認するやり方でのみ可能です。その者はこのように虚しく去りはしないということを見せる形で儀礼が行われます。その者は生きなかったがゆえに死ぬことができません。その者はもっと生きた後にのみ死ぬことができます。葬儀はそれを再現します。

キム・ジュヨン同志の葬儀が目にうかびます。鍾路《ジョンノ》警察署の付近だったと思いますが、誰かが泣きむせびながら叫びました。キム・ジュヨン同志、死ぬまで道を自由に通ることすらできずに死んだのに、警察がまた塞いでいる、と。ここでの道は単純な意味ではありません。これは単純にあの世へ行く道ではありません。当時、路上の葬儀が試みたのは、死者が生きることのできなかった生の試みです。死者はそこを自由に行き来できてこそ生者になり、そうすることによってふたたび死者になることができるのです。

ソン・グクヒョン同志の葬儀も同様でした。かれは国民年金公団の障害審査センターで活動支援〔介助〕サービス申請の資格すら否認されました。ギリギリで生存を繋いできたかれは、キム・ジュヨン同志と同じく、一人で火の手から逃れられないまま死にました。路上の葬儀のなかで、障害者たちは市役所の前にかれの棺を置きました。市役所の前で自分の権利をさらに主張しなければなりません。このままでは死ぬことができません。かれはもっと生きた後にのみ死ぬことができます。かれは、障害者は、まだ死ぬことができません。かれにとっては「やりつくせなかった」ものがあるからです。

キム・スンソク烈士が死んだ時、葬儀をめぐる二つの動きが生じました。一つはキム・スンソク烈士の死を知らせる『朝鮮日報』を読んで悲しみと憐憫を表現した人びとがいました。その人びとは、『朝鮮日報』の記事が出た後に、遺族に伝達してくれと新聞社側に香典を送りました。

印象的なのは、遺書の手紙の公式受信者であった当時のソウル市長の反応でした。

かれは遺書の公式受信者であったにもかかわらず、それを読まなかったに違いありません。驚くべきことに、かれは新聞の読者としてのみ反応します。『朝鮮日報』の伝えるところによると、かれはこのように言ったといいます。「朝刊に涙ぐましく、息の詰まる話が書いてあった。交通建設保健社会局など関連部署間の充分な協議を通し、横断歩道や建築物に障害者の便宜を補助できる施設を段階的に備えるよう対策を立てよ」と。新聞記事はかれに送られた手紙に基づいたものであったのにもかかわらず、かれはその状況と無関係な人のように言ったのです。そうしてあたかも不遇な隣人に香典を送る他の人びとのように、公務員たちに障害者のための政策を整備せよと指示します。いかなる反省や省察もありません（それ以降、ソウル市の障害者移動権に大きな変化がないことからも、この点がよくわかります）。

キム・スンソク烈士の死という悲劇的事件は、市民たちの善行に均衡点を見つけだし、そのまま葬られました。世の中の冷たい対応を証言したかれの死が残した道徳的な傷を「まだ世の中はあたたかい」という印象を呼びおこして温度を中和するのです。そのようにして葬儀を行ったのですね。言ってみればかれの死が呼びおこした居心地の悪さを消し去り、これからかれを楽に（誰にとっての「楽」でしょうか？）

あの世へ送るのです。

もう一つの動きはマスコミであまり扱わなかった「大学正立団」の葬儀闘争でした。一九八四年一〇月八日の『東亜日報』には、この闘争を批判する短い記者コラムが載せられました。一〇月六日、ソウル市城東《ソンドン》区にある正立会館で全国肢体不自由学生体育祭開幕式が開かれ、それに続きサッカーの示範試合が開かれたのですが、その時「大学生正立会員」たちがキム・スンソク烈士を追悼するといって、「棺」と「焼香台」を持ちこみ「葬儀」を行ったのです。かれらはビラで、体育大会で障害者の生が良くなることはなく、むしろ闘争によって障害者の実質的権利を獲得しようと主張しました。

当時、本部席には文教省大臣と国会議員、福祉社会省大臣に代わる局長らがいたといいます。大学正立団の会員たちが大臣に焼香を要求すると、大臣は不快な表情で席を去り、主催側幹部はサッカーの示範試合を強制中断させてしまいました（呆れるほどに暴力的な中断処置でした）。記者はそのコラムに「「客」が暴れた肢体不自由学生体育祭」という題名をつけました。記者は「体育祭」のみを見たのです。「肢体不自由学生」の「不自由」がどこから来るのかを見ないのです。ともかく大学正立団の葬儀闘争は、キム・スンソク烈士の死、さらには障害者の生に対する国家の責任を問うものでした。その責任を問う前には、烈士の葬儀を行えないということ、キム・スンソク烈士はそのまま死ぬことはできないと示してくれたのです。

烈士の「ともに」、烈士と「ともに」

こんにち「烈士」は主流の運動からほとんど消えました。「わたしたちが暮らす地はどこですか」。いまや国を失った人のようにそう切実に問う人がいないので烈士もいません。現体制に対して戦争と言ってもよいほどの敵対感を持つ人がいないので、戦士もまたいません。「死んでもいいが退くことはできない」というような修辞法はいつからか修辞法としてのみ残り、その修辞法すらもいつからか静かに消えてしまいました。しかし障害者闘争において烈士がまだ生きているというのは「わたしたちが暮らす地はどこですか」という言葉が今なお意味を持っているからでしょう。

烈士はとても逆説的な存在です。現世において死後の生を生きるということがそうです。このまま死ぬわけにはいかないという切実さが、その者の死に残ります。

その者は「ここで生きたい」という切実さを遺書に記さなければならない逆説の存在です。だからその者は死んでも生きる存在なのでしょう。キム・スンソク烈士の二六周忌の時、「障害解放烈士　丹」のパクキム・ヨンヒ代表の追悼辞はこの逆説をあまりにもよく見ぬいています。「烈士の挫折がわたしたちにとって力になります。烈士の絶望感がわたしたちの闘争になります。烈士の寂しさがわたしたちの連帯になります」。烈士の死が生に対する熱望であるように、烈士の挫折は力の噴出であって、烈士の寂しさは連帯の始まりであったからです。

厳密に言えば、烈士は死んでおらず、挫折しておらず、寂しくありませんでした。最初の火花は寂しい火ではありません。それは野火の始まりです。最初に差しだした手は寂しい手ではありません。それは孤立をやぶる連帯の最初の動作です。最初にさけばれた声は寂しい声ではありません。それはため息と嘆きをやぶる喚声の最初の声です。初めて燃えあがった火花、初めて差しだした手、初めてあげた喚声であったがゆえに、それはわたしたちにとって力になり、闘争になり、連帯になります。換言すれば、それはわたしたちの力のなかで、闘争のなかで、連帯のなかで、初めての火、初めての手、初めての喚声が保存されたのです。

わたしが二〇一六年のチョン・テス烈士追悼祭で、烈士が障害者闘争においては「まだ生きている」と感じたのは、「その人はわたしだ」あるいは「わたしはその人だ」と言うことのできる人びとがその場にいたからです。その人が遠く感じられない時、どれほどの時間が経とうが関係ありません。「その人がわたしのようだ」と感じられる時、その人はわたしのなかにいます。わたしたちが烈士を体験するのと同じくらい、烈士はわたしたちのなかに位置づきます。これが「烈士とともに」という言葉がもつ意味でしょう。

今日の講演を終えるにあたり、わたしはキム・スンソク烈士が追求した「ともに」、つまり「烈士のともに」についても短く言及しておきたく思います。病院から退院した後、キム・スンソク烈士は作業台の前に座りました。かれは「同じ境遇」の障害者たちとともに働く工場を構えるという夢を持ったといいます。差別される者たちの生産共同体を夢見たのです。かれは段差がない小さな平らな空間、小さな実験的コミューンを試みる気持ちだったのでしょう。借家の横のひさしの下に構えた三坪ほどの空間で見た夢ですが、そのひさしの下の三坪の空間はかれの想像のなかで「一九八〇年、ソウル」がこれ以上作動できない解放区であったでしょう。かれはそこで暮らそうとし、わたしたちにそこで暮らせと言い、この地をそこにつくれと言いました。この地を「わたしたちが暮らすことのできる地」にしようと夢見て、念願していたその人は、全身にそのメッセージを込めて死にました。いや、そのように死んだので、今なおわたしたちのそばに生きています。

第四部　この運命と踊ることができるか

不可能な象

二〇一五年春、北ソウル美術館で興味深い展示を見た。本来はケーテ・コルヴィッツ(Kathe Kollwitz)版画展を見に行ったのだが、時間が余ったので横の展示室を回っていると、思いがけない掘りだし物に出会ったのだ。展示室にはいくつもの象の造形物があった。展示室の入口に「象のしわを広げる」という大きな文字があったので、象を見るだろうとは思っていた。しかしそこにある作品はわたしが一度も見たことのないような象の姿をしていた。誰が見ても象なのに、誰も見たことがないおかしな象たち。それらを見るや、どれほど気分のよい笑いが弾けたであろうかわからないほどだ。

その象は二〇〇九年から全国の盲学校の学生たちとともに進行したアートプロジェクトの成果物だという。視覚障害を持つ学生たちが象を触ってみてからつくったものだ。プロジェクトの名前は、目ざとい人びとは推測するであろうが、「群盲象を評す」であった。企画者の言葉を見ると、「群盲象を評す」ということわざに込められた視覚障害者に対する偏見に挑戦してみるつもりであったようだ。

仁川ヘグァン学校学生＋アーティストの共同作業で大型化した作品（原作：パク・ミンギョン、仁川ヘグァン学校小学三年）、「仁川の象」550 × 150 × 110cm、Mixed Media.（原作：50 × 12 × 12cm、粘土）2009、社団法人わたしたちの目所蔵。

余談であるが、わたしが観覧した日には「盲人」という言葉が全て白い紙で隠されていた。おそらく誰かが「盲人」という言葉が視覚障害者を卑下する表現だと指摘したようだ。しかし新しく印刷するのでもなく紙を貼りつけて、まさにその単語だけを隠しているので、空欄を埋めるクイズのように見えた。じっさいに何人かの観客はクイズを当てるように「盲人」という削除された言葉を声に出して読んだりもした。ことわざのなかの偏見に挑戦するのだと言うが、いざ展示場ではことわざの単語一つを克服することすら簡単ではなかったようだ。

ともかく企画もおもしろかったし作品も素晴らしかった。象を目で見たことと手で触ったことにはどのような違いがあるのか。一方ではそこにはいかなる違いもないように思えた。視覚障害者たちがつくった作品は非視覚障害者であるわたしが見ても間違いなく象だった。全作品が象について作ったものだと一目で分かった。しかし他方では違いがとても大きかった。展示場の象たちはわたしが一度も見たことのないような象だった。たとえばパク・ミンギョンの作品「仁川《インチョン》の象」では、象の鼻はわたしの体よりも大きかった。一言でいえば現実では不可能な象だった。わたしが見たものと異なる種類の象だという意味ではなく、あんな象は世界にはないという意味だ。

小学校三年生のパク・ミンギョンは象を触った後にこのように言ったという。「象の鼻を触っていると手が鼻の穴にすうっと入ってしまいました。めちゃくちゃ大きくて、中では風が吹いていていました」。しかしその感覚はわかると思う。わたしもまた同じくらいの年齢（おそらく五年生だったと思う）の時に象を初めて見たのだが、その日の夜、象の鼻が限りなく長くなり、逃げるわたしを捕まえ、巻きあげる夢を見た。今回の展示会で見た作品は、その時のわたしの夢のなかの象と似ていた。

今「夢のなかの象」といったが、視覚障害者たちが厳然たる現実で感覚した象は非現実的なものとしてつくろうとしたのではない。事実はその反対だ。わたしの夢のなかの象は昼に見た象のある実感を表現したものだ。そしてわたしが思うには、今回の展示場の作品もこの種の実感を持っていた。しかし動物図鑑のようなものに載せられている象の写真には、このような実感は湧かない。現実で不可能な象には実感があり、現実的に可能な象には実感がないのだ。

しかしこのように思う。いったいどちらが現実なのか。実感はあるが論理的に不可能な象なのか、論理的には可能だが実感のない象なのか。特に感覚もない動物図鑑の象にわたしたちが現実的に出会うことは本当に可能か。わたしたちがある日、象と対面した時、その象はパク・ミンギョンの作品と似ているだろうか、動物図鑑のなかの写真と似ているだろうか。どちらがより不可能な現実か。わたしたちが再現するのは現実なのか図式なのか。

展示場の象を見たとき、わたしに思いうかんだ作品が一つあった。シュルレアリスム作家イブ・タンギー（Yves Tanguy）の一九二九年の作品、「シュルレアリスムの世界地図」という絵だ。この地図には米国が見えない。ロシアと中国はかなり大きく、南米とアフリカはかなり小さく描かれた。中国の横に朝鮮半島が小さく見えるが日本列島はそもそもない。ヨーロッパは地図の隅に区別されずに集められているが、パリがドイツの首都のようになっており、イギリスのほうを見てもアイルランドはあるがイングランドはない。もし作家の名前がなく展示場に掛けられた絵でもなければ、どこかの小学生が描いたと思うほどだ。

しかしこの絵にも先ほど述べた象の匂いがする。世界を歪曲したこの地図

イブ・タンギー「シュルレアリスムの世界地図」（Surrealistic World Maps）,1929。

が地図帳で見るような世界地図よりもさらに実感があるということだ。普通の世界地図に描かれた世界はわたしたちが体験して実感できるような世界ではない。もし相当数の韓国人の実感を反映するならば、米国は普通の世界地図に出てくるものよりはるかに大きく、韓国にはるかに近いであろう。そのためには太平洋を大幅に狭めるであろう。全体的にみればタンギーの絵のようにかなり歪曲された地図になるしかない。

シュルレアリスム作家たちはこのようなおかしな作品はわたしたちが知っている現実よりもさらに現実的だと述べた。わたしなりに言えば、現実で可能な象は非現実的であり、現実で不可能な象こそ現実的だということだ。しかしシュルレアリスムの作家たちが無意識をあらわにするあらゆる技法を、たとえば時には目をつむって半睡眠状態あるいは夢幻状態でつくりだした作品と、視覚障害を持つ学生たちが明瞭な意識状態で自分の感覚に集中してつくりだした作品が似ているというのは興味深い。

シュルレアリスムの作家たちが親しんだ日常の生を消しさって到達した世界が、障害をもつ学生たちが自分の日常をあらわにしつつ到達した世界と似ているのはなぜか。「美学（aesthetics）」という言葉は「感覚」を意味するギリシャ語「アイステーシス」に由来するという。語源に基づいてみれば「美学」とは一種の「感覚論」だといえる。わたしはシュルレアリストたちが到達しようとした無意識が、実際には異なる現実感覚ではなかったかと思う。シュルレアリスムを異なる美学、異なる感覚に対する試みとして理解できるということだ。

わたしたちは何かを感覚した後に判断すると考えるが、じっさいにはなんらかの先入観のなかでそれを感覚する。いわば動物図鑑のなかの象を通して現実の象を見るのだ。あるものを見ているが、時代的、文化的、生物学的なメガネをかけたまま見ているといえる。それゆえわたしたちが感覚する現実は、特定の感覚、特定の美学を通して捉えられた現実だ。

シュルレアリストたちはこのような常套的な現実を超えようとした。この点でかれらは超現実的だ。しかし他方でかれらはわたしたちの常套的な現実こそ非現実的で超現実的であると見せてくれる。真なる現実が別にあるということではない。ただわたしたちの現実のみが真の現実であるわけではなく、なによりもわたしたちの現実とは特定の感覚に基づいた特定の現実だということだ。ある点であらゆる現実は非現実的であり超現実的だ。逆から言えば、超現実的なものが現実的なのだ。それゆえ重要なのは真なる現実ではなく異なる現実だ。

この点で障害者たちが実感する現実は常套的な現実に対する告発と批判であり、常套的な現実とは異なる現実の存在を見せてくれる。しかし障害者たちが実感する現実、たとえば視覚障害者がつくりだした象を、非障害者たちは非現実ないし現実歪曲とみなす。常套的な現実を正しい現実、真なる現実と錯覚するからだ。そうしてみると非障害者たちは毎回象に出会いながらも、動物図鑑の象だけを見るのだ。イエスの言葉を借りればこうなる。「あなたがたは今、「わたしたちは目が見える」と言っています。あなたがたの罪は残るのです」。[*1]

＊1　「ヨハネの福音書」九章四一節、『新改版　小型聖書』日本聖書刊行会、二〇〇四、一九八頁。

障害者、スーパーマン、超人

二〇一七年はずっと何人かの人びとと人工知能、ロボット、生体工学などに関する論考を読んだ。技術発展が速いとは言うが、わたしが想像していた以上だった。人工知能は、これを「知能」と見ることができるかどうかとは別に、病気の診断や自律走行、外国語翻訳などにすでに使用されている。ロボット工学もそうだ。一時はぎこちなく歩いていたロボットが、走るどころかぴょんぴょん跳ねる水準であり、環境と相互作用して自ら新しい行動を学習する。生体工学は生体の神経と義足を電気的に連結して感覚と運動を伝達できるシステムを構築する水準に近づいている。一方では人間に近かったり、人間と接続可能な形態の人工被造物が出現し、他方では人工被造物を挿入して機械と接続する人間たちが増えている。

ところでこのような先端技術を紹介する文章や映像を見ると、障害者によく出会うことができる。研究者たちは自分の技術の効用を説明しながら障害者を引きこむ。

研究費を出す側もそう考えているのかは分からないが、ともかく研究者たちが技術の試演過程で舞台に上げるのは全て感動的な奇跡である。事故で足を失った障害者が再び歩き、視力を失った障害者が目を開く奇跡。生体工学者たちはイエスが行ったという奇跡がわたしたちの前にあらわれる時が遠くないように語る。

最近読んだミゲル・ニコレリス(Miguel Nicolelis)の「猿の遠隔現存」実験とヒュー・ハー(Hugh Herr)の「生体工学義足」の研究もかなり衝撃的だった。ニコレリスは猿の脳に電極を移植し、猿が特定動作を行う時にニューロンが見せるパターンを研究した。「脳爆風」と呼ばれる脳内のニューロンのパターンを分析したかれは、そのパターンを利用して猿の行動を予測でき、猿が望む動作をロボットに具現させることもできた。さらには遠く離れたロボットアームを自分の身体の延長として認識するよう猿を訓練させた後に、思うだけでロボットアームを動かせることに成功した。猿がロボットアームをどのような形に伸ばすかを考えれば脳爆風パターンが電送され、遠く離れたロボットアームが猿の思うがままに動くのだ(これは「心の声」を聞くという意味でもある)。

ニコレリスによれば、この技術は脊髄の特定部位が損傷し、四肢を動かせない人びとに使用されうる。脳の神経信号を損傷した部位、たとえば損傷した脊髄を迂回して四肢に伝達すれば四肢を動かせるということだ。まだ研究が充分に進行したものではないが、これをもって研究の正当性は充分に確保された。ある研究者の表現を借りれば「たくさんの苦しむ患者たちがいる」ということだけでも、研究を推しすすめる充分な理由になる。

ハーは自身が肢体障害者である研究者だ。かれは登山中に事故に遭い、凍傷になった両足を切断した。その後、生体工学の研究にまい進した。障害克服の道をそこに見出したのだ。かれは最近、テロで足を失ったダンサーに先端特殊義足を贈り、再び踊れるようにした。「生体工学技術がわたしたちを走り、登り、踊ることを可能にする」という題名のＴＥＤ講演で、かれはこのように述べた。「生体工学技術はわたしの障害をなくしてくれ、わたしに新しい登山技術を味わわせてくれます。わたしは生体工学技術を発展させ、障害をなくすことのできる未来を夢見るようになりました。わたしが夢見る未来は視覚障害者が神経移植を通して見ることができ、まひ患者が生体工学技術を通して歩くことのできる世界です」。

障害に対するハーの視角はいわゆる「障害の社会的モデル」、つまり障害は個人の身体損傷や欠損ではなく社会的差別の産物だという視角と衝突する部分がある。社会的モデルによると損傷は特定の社会的環境において障害化される。たとえば移動権がきちんと保障された社会では足の損傷が大きく問題になることはなく、手話が一つの言語として認められる社会では聴覚の損傷が大きく問題にならない。したがって障害をつくりだすもの、障害解放のために克服すべきものは、障害を生産し差別する社会と文化であるのだ。ところがハーは障害を技術が充分ありさえすれば克服できる機能不全の問題、あたかも医療技術で治療できる疾病のようなものとして見ている。そうなれば障害は不運な個人――その不運が先天的であれ後天的であれ――の問題になる。

だからといってわたしはハーの考えが完全に間違っており、わたしたちは生体工学技術を拒否しなければならないと考えているわけではない。わたしはいつだったか電動車いすが障害者たちの生を大きく変え、何よりも個人の性格まで変えたと聞いたことがある。多くの障害者たちは電動車いすのおかげで移動範囲が増え、交際の幅が広がり、積極的で社交的な性格になったということだ。同様に、ある技術は障害者たちの身体にある力量を付与することができ、それが障害者の生にいくつかの肯定的影響を及ぼすこともあるだろう。問題は技術といかに結合するかにある。しかしここに社会的、文化的要素が介入する。

ハーが在職しているマサチューセッツ工科大学（MIT）の「先端生体工学センター（Center for Extreme Bionics）」は科学技術を向上させ、脳と神経に関連する障害を克服することを目標にしているという。しかしこのような障害克服プロジェクトは、実は「スーパーマン」プロジェクトでもある。たとえば視覚障害者を見えるようにする人工網膜技術は視力を非障害者の通常水準に留めておく必要がない（もちろん現在の技術ではこの水準にすらまだまだ達していないが）。赤外線感知機能を備えもつシリコン網膜を搭載するならば、わたしたちは夜にも見える目を持つ。生体工学義足は一次的には傷痍《しょうい》軍人に適用されるだろうが、少し変形すれば戦闘する兵士をスーパー軍人にすることのできる技術だ（おそらくこれが産業的・軍事的野心を持つ者たちが障害克服の技術的な夢をサポートする理由であろう）。

「障害者」と「スーパーマン」が出会うこの場には「エイブリズム（ableism）」、一種の「能力主義」イデオロギーが位置づいている。「非障害者中心主義」とも訳すことのできるエイブリズムは、非障害者を標準的な能力者とみなし、障害者をその能力が欠如した人と見る視角だ。その片側の先には能力なき「障害者」がいて、反対側には超能力をもつ「スーパーマン」がいる。

ところがスーパーマンはエイブリズムの具現であって克服ではない。いわばスーパーマンは人間の克服ではなく人間的夢の実現だ。その者はいわゆる「正常の人間」が持つ能力——障害者を差別するその基準——を正常の人間以上に具現する人だ。スーパーマンを追求する時、生体工学はエイブリズムをまったく揺るがさない。ただ何人かの障害者を「無力・無能（disability）」、つまり障害という規定から抜けださせてやるだけだ（いつだったかある瞑想グループが「脳呼吸」を通して知的能力を極大化できると入試準備中の受験生たちを勧誘したことがある。その効力はさておき、わたしはかれらが瞑想を競争的入試システムを解決するために使うよりも入試競争で有利な地位を占めるために使うという事実に衝撃を受けた）。

ここにスーパーマンの問題がある。それは障害を生むエイブリズムに触れないがゆえに、障害をなくす代わりに何人かの障害者を障害から脱出させるだけだ。そしてその空席はこの社会が要求する能力を持っていない他の誰かで埋められるだろう。その技術を利用できるほど充分な財力を持ちえない人びとは障害者として残る。

そして技術水準の活用が平均値に届かない人びとも技術社会が生む障害者になるだろう。障害が階級化された世界から階級が障害になる世界に変わるかもしれない。しかしそのようにしてでは障害が消えない。障害を量産するエイブリズムを根拠にして障害を克服しようとする限りにおいては。

先ほど述べたように、わたしはニコレリスやハーの実験を否定的にだけ見るわけではない。技術を通して「損傷した部分」を「迂回」できると言った時、わたしは異なる可能性を思いうかべた。生体工学者たちは損傷した正常性を迂回してスーパーマンになった障害者を思いうかべたのかもしれないが、わたしは技術とともにそもそもエイブリズムの経路（障害 - 正常 - スーパーマン）から抜けでる想像をしてみた。迂回して目標に到達するのではなく、目標自体を迂回すること、換言すれば異なる経路へと進んでいくことも可能ではないだろうか。

わたしはここでニーチェの「超人（Übermensch）」を思いうかべる。『ツァラトゥストラはこう言った』において、ニーチェは人間は歩いたり走ったりすることから始まり、踊ったり飛んだりする方法まで学ばなければならないと言った。それはハーが技術発展を通して具現しようとした未来世界に似ている。しかしスーパーマンと超人は異なる。スーパーマンが人間的なものの実現、人間的価値の卓越した具現を意味するならば、超人は人間的なものの克服、人間的価値の転倒を意味する。スーパーマンが能力主義社会で最高の能力の発現を意味するならば、超人はそのようなイデオロギーがわたしたちの能力を制約しているのだと語ってくれる。スーパーマンはわたしたちに欠乏した能力の具現体であるが、超人はわたしたちに欠乏がないことを知る瞬間、ただちに発揮される能力の具現体だ。

わたしたちは生体工学技術とともに歩き、走り、踊ることもできるだろうが、スーパーマンの道と超人の道は全く異なる。先端技術が具現した義足を着用して非障害者のダンサーと変わらない動作、さらには非障害者のダンサーよりも速く高いステップを見せてくれるだろうが、それよりもまず人間の動作の美しさが、わたしたちが崇めるものにのみあるわけではないと知ることも重要だ。異なる人びととともにするためには、まず自立的人間になるべきだと考えることもありうるが、その反対にともにすることこそ自立するための最良の方法であることを知る必要もある。技術を前者の観点から採択するか後者の観点から採択するかによって肢体障害者が立ち上がり、視覚障害者が目を開ける奇跡は、かなり異なるものを意味するだろう。

それぞれの技術が持つ意味だけでなく、いかなる技術をどのように発展させるかが変わるしかないのだ。

そうしてみれば二〇〇〇年前のイエスは、二〇〇〇年後の生体工学者と同じ奇跡を、かなり異なるやり方で行った人だった。かれはわたしたち全てには一切罪がないという福音だけで誰かを立ち上がらせ、また誰かの目を開かせたからだ。超人のダンスはここから始まる。

ずた袋がない人

古代ギリシャの哲学者ディオゲネス（Diogenes）は障害者についてかなりおかしな言葉を残した。「障害者（anaperous）とは耳が聞こえない人や目が見えない人ではなく、ずた袋（pera）を背負わない人だ」。ずた袋なき人が障害者だと？ 何やら気分の悪いアウトドア製品の広告でもないし、なぜ障害者を規定するものがずた袋だというのか。

ディオゲネスの言葉をよく検討してみれば、古代ギリシャ社会でも障害者、換言すると「耳が聞こえない人」と「目が見えない人」を差別したことがわかる。「障害者」という言葉に否定的な価値が込められているがゆえに、ディオゲネスはその言葉の用法を変えることをもって人びとの注意を喚起させることができたのだ。イデア、つまり理性に関心が高かった古代ギリシャ人たちが理想的身体基準から離脱した障害者の身体をどのように見たかについては推測することができる。

しかしこの短い言葉からわたしたちはまたディオゲネスが障害者に対して通念とは異なる視角を持っていたこともわかる。かれは「障害」を身体的な「損傷」と同一視しなかった。かれは誰かを障害者にするのは「聞こえない耳」や「見えない目」ではなく「ずた袋」だと述べた。なぜずた袋が問題なのか。ずた袋はかれにとっていかなる意味をもつのか。かれは哲学者の真理は「真の生」を通してのみあらわれると述べた。ずた袋はそのような「真の生」の象徴であった。

ディオゲネスは小さなずた袋だけをもって道端で食べて暮らした人だ。人びとはかれを犬と呼び、かれも自分をそう呼んだ。なぜ犬だったのか。まずかれは飲み食いすることからセックスまであらゆることを他人が見る道で行った。犬のようにだ。かれによると自然（本性）のなかで起こることは全て自然的なものであるがゆえに、自然が生んだあらゆるもの、あらゆる存在に対してもわたしたちは恥じる必要がない。人間の愚かさは自然ゆえにではなく文化的、道徳的、法的偏見ゆえに生じる。そのため変えなければならないのはこのような偏見であって自然ではないということだ。

またかれは自ら「人類を主人として仕える犬」として紹介することもあった。悪い敵を主人より先に察知し、勇敢に吠えて敵に噛みつきもするということだ。ある時アレキサンダー大王の父であるフィリッポス帝に捕まった時、かれは「お前は誰だ」という王の問いに「わたしはお前の果てしない貪欲を探知した偵察兵」と答えた。かれは王にも屈しない勇敢な、人類の偵察犬ないし警備犬だったのだ。

王の話が出たついでに言えば、ディオゲネスは「現実の王」を「偽の王」と呼んだ。そのような王たちは自ら力を持っていないがゆえに、換言すれば真なる主権者ではないがゆえに、王冠をかぶって軍隊と臣下を帯同させている。たとえるならば、かれらは黄金でないがゆえに自身を金で塗装する。その金の塗装を利用してかれらは人びとを幻惑させ威嚇するのだ。かれらは王というよりは「幻の王」ないし「王の幻」だ。

そうであるならば「真の王」は誰なのか。ディオゲネスは自分を指した。生の主権者になるために自分には軍隊と財産、臣下ごときは必要ないと言った。力は軍隊やお金ではなく自分自身にあるからだ。自分の力で生を営んでいくことができ、自ら生きていく術を知る自分自身こそ真なる主権者だということだ。かれのずた袋はこのような主権的な生の象徴であった。偽の王は王冠をかぶるが、真の王はずた袋を背負う。

ずた袋の意味をもう少し検討してみよう。第一に、ずた袋は誰にも従属しない生、自律的な生を表わす。ずた袋を背負うということは、王であれ家族であれ、誰かに隷属したまま生きないという意味だ。それは自分の生の完全たる主人として暮らす生を象徴する。

第二に、ずた袋は敷居の外における生を表わす。それは敷居と壁にかこまれた場所（王宮であれ家であれ施設であれ）から出た生、一言で言えば路上の生を象徴する。路上は追放された者たちの空間であり、社会的烙印を押された者たちの空間であり、寒さと飢えの空間、精神的侮辱と侮蔑の空間だ。ところがディオゲネスはこの場所こそ自分を主権者として鍛錬させる空間、自分の身体的・精神的な力を強化させうる空間だと考えた。ディオン・クリソストモス（Dion Chrysostomos）の描写によると、ディオゲネスは「寒さと恐れと闘い、渇きに耐えぬき、鞭や刀、火を使用するといっても屈服しなかった」（『犬儒主義の哲学者たち』*The Cynic philosophers*, Penguin Books, 2012）。ずた袋を背負うということは戦士であり、闘士である者として、路上を鍛錬の空間としてよろこんで耐えるという意味だ。

第三に、ずた袋は自分だけではなく他人をケアする者の生の象徴だ。ディオゲネスは先ほど述べたように自分を「人類を主人として仕える犬」のように考えた人物だ。路上で自ら鍛錬する理由は、自分の力を育てあげるためでもあるが、その力によって人類全体をケアするためでもある。かれは広場と路上で人びとの偏見と悪徳を砕き、悔しがったり痛んでいる人びとをケアして治療することが「真の王」、つまりずた袋を背負う者の仕事だと考えた。

このようにディオゲネスは主権者に対する古代的イメージを完全に転倒させた。かれが思いうかべた真の主権者とは、自分のなかで安静であり、他人の模範になる王や賢者のような人ではなかった。真なる王はそのような高尚な人びとではなく、ずた袋を背負ったまま路上で闘争して生きていく闘士であった。自分自身をケアし、人類をケアするというような闘士のことだ。

さて、障害者についてのかれの規定をもう一度吟味してみよう。かれが言った「ずた袋なき生」とは自律的であれない生、誰かに隷属したまま生きなければならない生、自分の生を支配できない生、自己鍛錬がない生、他人をケアできない生、なによりも主権者として闘争できない生を意味する。ディオゲネスが重視したものは、誰かに精神的・身体的損傷があるかどうかではなく、その者が果たして主権者の生を生きているかどうかであった。考えてみれば現在展開している障害者たちの闘争の全てが障害者を障害者にする生を拒否し、生の主権者になるための、いや、すでに自分が生の主権者であると宣言する闘争ではないのか。

二〇一五年一一月の最後の夜、「障害等級制と扶養義務制廃止」のための光化門《クァンファムン》座り込み現場の泊まり番で夜を明かしながら、わたしは確実に感じた。あの世宗《セジョン》大王像のかなたに「王の幻想」ないし「幻想の王」が生きているが、この座り込み現場には真なる王たちが生きているということを、わたしはこの真なる王宮に招待されて一晩を過ごしたということを。

日差し、それのみ

わたしは最近犬儒主義〔ギリシャ哲学の一派〕者たちに伝わる有名な逸話であるアレキサンダーとディオゲネスの出会いを何度もかみ砕きながら読んでいる。最初はとてつもない権力を持った王にもひるまなかったある貧乏人哲学者の話くらいに考えていたのだが、繰りかえし考えるにしたがい、ここに込められた権力と富、知識についての転覆的態度に感嘆させられている。

好意をまとった悪だくみ

広く知られた話だが、おおよそのあらすじを紹介したい。ギリシャを征服しペルシャを倒しに行く途中、アレキサンダーはディオゲネスを訪ねる。「わたしがアレキサンダー大王だ」。ディオゲネスは皇帝の自己紹介にひるむことはなくこう答える。「わたしはディオゲネス、犬です」。兵士を帯同したアレキサンダーはただちにディオゲネスを威嚇する。「お前はわたしが怖くないのか?」 おそらく自ら「犬」だと言って顔をつきつけるディオゲネスが気にくわなかったのも無理はないだろう。皇帝の威嚇にディオゲネスは問うた。「あなたはよい人ですか、悪い人ですか?」自らを悪漢と呼ぶことはできなかったであろうアレキサンダーは、自分をよい人だと言った。「ではわたしがなぜよい人を怖がらなければなりませんか?」ディオゲネスの答えに一発食わせられたアレキサンダーは雰囲気を反対に持っていく。かれはやわらかく懐柔したのだ。「お前が望むものはなにか? わたしが叶えてやろう」。世界のあらゆるものを持っていると自負したアレキサンダーの問いにディオゲネスが答えた。「わたしが望むものは日差し、それのみです」。そうするとアレキサンダーはディオゲネスから立ちさり、このように言ったという。「わたしがアレキサンダーでなかったならディオゲネスになっていただろう」。

わたしたちはこの逸話をアレキサンダーの問いに沿って二つに分けることができる。前半部は自らを「犬」と称して顔をつきつけたディオゲネスをアレキサンダーが威嚇する場面であり(「お前はわたしが怖くないのか?」)、後半部は知恵に富む答えをしたディオゲネスにアレキサンダーが好意をふるまう場面だ(「お前が望むものはなにか？」）。あたかもアレキサンダーが最初にはディオゲネスを試したが、後にその知恵に感嘆して好意をほどこしたように見える。

しかし今見てみると、これはかなり間違った考えだ。前半部を試験ないし対決として、後半部を好意と和解としてとらえる見方のことだ。事実は後半部においても二人の対決は続いている。望みについてのアレキサンダーの問いは好意であるどころか、ディオゲネスに向かう二度目の攻撃だ。威嚇する時と同じくらい望みについて問う時もアレキサンダーはディオゲネスに対し、生のあらゆる権利が王にかかっていることを主張している。換言すればかれは生を奪ったり（恐怖と威嚇の最初の問い）、生を与えたり（願いと希望の二つ目の問い）、一言で言えば生死与奪のあらゆる権利が王にあることを暗示しつづけている。要するにアレキサンダーの主張はこのようなものだ。「王が主権者だ」。

「日差し」という言葉の偉大さ

わたしたちはアレキサンダーがなぜそのように自信満々なのかを知っている。かれはわたしたちが慣れ親しんでいる権力の三つの源泉をすべて持っている。まず、かれに随行する臣下と兵士たちを見よう。アレキサンダーはかれらを従えたがゆえにギリシャを占領し、続けてペルシャを占領しようとする。第二に、かれが身につけている華麗な服と装身具は、かれがどれほど金持ちなのかを語ってくれる。かれはすでに莫大な財産を持ったが、戦争を通してそれをさらに増やすだろう。第三に、かれは哲学論争を繰りひろげることができる程度の学識を持った。かれは王位につく前にとてつもない教育を受け、なによりもかれは著名なアリストテレスの弟子だった。

しかし「望むものは日差し、それのみ」というディオゲネスの答えは皇帝アレキサンダーを支えている権力の諸源泉を一瞬で取るに足らないものにしてしまう。かれはとてつもないものをたくさん持っていたが、「日差し」のように誰でも享受できるものを与えることはできないからだ。日差しは皇帝が来る前にディオゲネスが享受していたものであるが、皇帝が登場することで遮られてしまったものだ。誰でも享受し、誰でも持つことができるが、皇帝は与えることができず、むしろ遮っているもの、人びとが皇帝を恐れたり皇帝に期待をかけながら（あるいは皇帝が持つ権力と富、知識に目を奪われながら）享受することができなくなったもの、それがまさに「日差し」だ。

わたしはマルクスとエンゲルスが支配階級であるブルジョアジーにむかって投げかけたメッセージもディオゲネスの答えと変わらないと考える。「わたしたちは支配者であるあなたたちになにも望まない」。これがわたしが理解する『共産党宣言』（一八四八）の精神だ。この宣言の急進性は支配階級に向かった「望むことなし」、「願うことなし」、「期待することなし」にある。ディオゲネスがアレキサンダーの所有物、たとえば権力と財産、知識からいかなる魅力も発見できなかったように、マルクスとエンゲルスはブルジョワジーの所有物からいかなる魅力も発見できないのだ。魅力なきブルジョアジー！　これが『共産党宣言』の偉大さだ。

ブルジョアジーは「あなたが望むものをわたしが持っている」と言うが、宣言の主唱者たちは「あなたが持っているもののなかにわたしが望むものはない」と答える。たとえば、第一に、ブルジョアたちは国家を持った。「国家は（……）ブルジョアジーの執行委員会だ」[*2]。国家は国民自体ではなく、ただブルジョアジーの利益だけに注意を払う。しかし宣言の主唱者たちは、自分たちにも国家を与えよとは言わない。その代わりにこのように言う。「わたしたちは国家をなくすつもりだ」。

第二に、ブルジョアジーは財産を持った。「あなたたちはわたしたちが私的所有を廃棄しようと言うからといって驚いている。しかしあなたたちの現存社会でその社会成員の一〇分の九には既に私的所有は廃止されている」。[*3] つまり社会の九〇%には私有財産がない。しかし宣言の主唱者たちはわたしたちにも私有財産を持てるようにしてくれとは言わない。「わたしたちは私有財産制をなくすつもりだ」。

第三に、ブルジョアは「和気あいあいとした家族」について美辞麗句を重ねて熱弁を吐く。しかしプロレタリアートの家族は大工業によってズタズタに裂かれてしまった。機械制の導入により父は失業者になり、妻と娘は体を売り、幼い子どもは炭鉱で労役をしている。しかし宣言の主唱者たちは家族を与えよとは言わない。「わたしたちは家族を廃止するつもりだ」。

『共産党宣言』の転覆性は「欠乏を欠乏させる」という、発想の転換にある。宣言の主唱者たちはかれらが「持っていないもの」を「なくして」しまっている。「何か」に対して欠乏感を感じる人が多くなるほど、その「何か」を持つ人の権力が大きくなるように、宣言の主唱者たちはブルジョアジー権力の秘密がプロレタリアートの欠乏感にあることをよく知っている。ブルジョアジーが持っているもの、一言で言えばブルジョアジーの世界に魅力を感じることができないがゆえに取引は不可能だ。アレキサンダーがディオゲネスに対して与えることも奪うこともできなかったように、プロレタリアートには何も失うものがなく、かれらはただブルジョアジーの魅力なき世界を代替する世界を夢見るだけだ。

もう一度アレキサンダーとディオゲネスに戻ってみれば、ディオゲネスの答えは考えれば考えるほど偉大だ。王からは得るものも失うものもない。かれは期待することもなく挫折することもない。要するにアレキサンダーに対するディオゲネスの答えはこうだ。「王は主権者ではない」。

希望という鉄鎖

マルクスとエンゲルスは失うものは抑圧と搾取の鉄鎖しかないという言葉で『共

*2　マルクス・エンゲルス、水田洋訳『共産党宣言・共産主義の諸原理』講談社学術文庫、二〇〇八、一一三頁。
*3　前掲、三七頁。

産党宣言』を閉じたが、わたしはその鉄鎖もまたプロレタリアがブルジョアジーに感じる欠乏感とかれらにかける期待によって支えられているのではないかと考える。鉄鎖の話が出たついでだが、マルクスは神話のなかの主人公であるプロメテウス（Prometheus）が特に好きだった。かれは自身の博士論文を出版するにあたって書いた序文でプロメテウスを「哲学の歴史において最も聖なる者であり、殉教者である」[*4]と書いた。そしてプロメテウスが自分を懐柔しにきたヘルメスに投げかけた言葉を引用した。「卑しきしもべの身と、わが苦難を取り替えようなどとは、決して思わぬ」[*5]。

確かに、プロメテウスが岩に縛りつけられる場面は、かれを自由と進歩の象徴として受けいれるさいに不足なく思える。よく知られているように、かれはゼウスの意志に反して人間に「火」を伝え、知識と医術、技術を伝播した。ゼウスは「クラトス（kratos）」と「ビア（bia）」、つまり「力」と「暴力」を送り、プロメテウスを強制的に岩に縛りつけた。それにもかかわらずプロメテウスはゼウスの威嚇と懐柔に屈しなかった。

しかし興味を引くのはプロメテウスが解放される場面だ。この場面はわたしたちに何か異なるものを考えさせる。かれの鉄鎖を解いてやったのはかれの意志でも知識でもなかった。かれを救ったのはイーオー（Io）の子孫であった。イーオーはイーナコス（Inachus）の娘であり、ゼウス（Zeus）のつきまといとヘーラー（Hera）の監視ゆえに追われつづけ、虻《あぶ》になやまされる不幸な女性であった。プロメテウスはかの女の子孫が自分を救うだろうと予言した。「大胆不敵で弓矢で有名な」かの女の一三代目の子孫が自分の鉄鎖を解いてくれるだろう、と。プロメテウスが予言した英雄こそヘラクレス（Heracles）だ。

興味深い事実はヘラクレスが犬儒主義者の英雄だったという点だ。フーコーによれば、ヘラクレスが実践した苦行の多くの象徴は犬儒主義者の実践と通ずる。犬儒主義について記述した古代の作家ディオン・クリソストモスは、ヘラクレスの話を完全にディオゲネスの口を通して伝えるほどだった。しかし犬儒主義者たちはプロ

＊4　マルクス、中山元訳「デモクリトスの自然哲学とエピクロスの自然哲学の差異」『マルクス・コレクション』一巻、筑摩書房、二〇〇五、一〇頁。

＊5　前掲、一〇頁。

メテウスに対して否定的だった。かれらが見るにプロメテウスは知識と技術の虚像に陥ったソフィストを象徴した。そのようなプロメテウスをヘラクレスが解放してやるというのは何を意味するのか。フーコーはプロメテウスの解放は人類が知識と技術の虚像と偏見から抜けだして自然へ戻るという意味だと述べた。

実際プロメテウスは人間に知識と技術、火のみを伝達したのではなかった。アイスキュロス（Aeschylus）が書いた『縛られたプロメテウス』(*Prometheus Bound*) を見れば、プロメテウスは人間に同情することを超えて「心のなかに盲目的な希望を植えつけた」と言った。「人間たちに自分の運命を眺められないように」[*6]、換言すると人間が死という生の悲劇性を見ずに未来に対する希望を抱かせるように、である。それゆえ「希望」とは、未来を見て持つものではなく、未来を見ることのできない「盲目」から生じたものだ。

前を眺めるプロメテウスが人間に前を見れないようにした理由についてはいくつも解釈が可能だろうが、一つ確実なのは、知識と技術を持った者が盲目的な希望を抱くことになれば本当に危険だという事実だ。プロメテウスは「オオウイキョウの茎」に入れて人間に火種を伝え、盲目的な希望も与えた。おそらくかれが与えた火種がたとえば現在の原子力発電所まで来たのであり、かれが火種とともに差しだした「盲目的な希望」ゆえに人類は絶滅の危険も自覚できない存在になったのかもしれない。プロメテウスはゼウスの人類絶滅の意図を防ぐために人間に「火」と「希望」を伝えたが、まさに人類はそれゆえゼウスの意図により近づいたわけでもある。最初にプロメテウスを縛ったのはゼウスであったが、かれが自分の力で鉄鎖を解くことができなかったのは、かれ自身が人間に伝えた知識と技術、希望の奴隷だったからではないだろうか。

民主主義――王には責任だけを負わせろ

わたしたちは王が持つもの、つまりわたしたちにないもののせいで、本当にわたしたちが持つもの、しかし王は持ちえないものを見られないのではないだろうか。政治的王の虚像に気づいたという犬儒主義者たちはこのように言いもした。「わた

*6 アイスキュロス、呉茂一訳『縛られたプロメーテウス』岩波文庫、一九七四、二六―七頁。

しがまさに王だ」。王に対する期待ほどに王に対する絶望も奴隷的でありうる。魯迅の言葉のように、希望であれ絶望であれ、虚妄することでは同じだ。それらがすべてわたしの欠乏を埋めようとする盲目的試みから出てくる限りにおいて。

セウォル号に対する大統領官邸の残酷な無作為に抗議して遺族らが清雲《チョンウン》洞〔当時の大統領官邸に隣接する地名〕住民センターの前に座り込み現場をつくった。遺族らは大統領〔当時の朴槿恵《パククネ》〕が問題解決の先頭に立つことを求めた。形式は請願であったが、実質は追及だった。大統領はその時に何をしており、現在何をしており、これから何をするのか。それを明らかにせよということだ。講演の依頼を受けてからようやく訪ねた座り込み現場。わたしは少なくともここでは「希望」と「絶望」がすでに褪《あ》せた単語だということを感じた。アレキサンダーがとうてい「日差し」を与えることができないように、大統領はおそらく「真実」を与えることができないだろう。まさに日差しを遮ったのはアレキサンダーではなかったか。

遺族たちの座り込み現場には法と制度が保障した力、ゼウスの「クラトス」はなかった。しかしそこには異なる「クラトス」、つまり異なる力があった。王が持っていないがゆえにわたしたちに与えることのできない力、しかしわたしたちが持つがゆえに王に望む必要がない力がある。座り込み現場でディオゲネスについてのわたしの講演が終わる頃、わたしたちは横の人と手をつないでみた。そして互いに力を込めた。わたしたちはその場でわたしたちが持つ力、王は与えることができないが、「わたし」は「あなた」に与えることのできる力をただちに確認できた。それがわたしたちの力、デモスが持つ「クラトス」、つまり民主主義だ。民主主義の教えはそれが人類にあらわれてから、同じメッセージを伝えている。王には何も希望するな。かれにはただ責任のみを負わせろ。力はまさにあなたにある。

裁判以前に下された判決

二〇一七年九月末、国会で開かれた「障害者権利保障のための改憲討論会」に討論者として参加した。討論文を準備しながら障害者の権利に関する法律条項と諸判例を検討したのだが、わたしはここに緊密に関連する二つの先入観があることを発見した。

一つの先入観は「障害」概念自体についてのものだ。憲法で障害者に言及する唯一の条項である第三四条第五項を見よう。「身体障害者および疾病・老齢その他の事由で生活能力がない国民は法律が定めるところにより国家の保護を受ける」。障害者を「障害ある者(障碍者)」[*7]と呼び、障害の範疇を「身体障害」に限定している部分が引っかかるがさしあたり次に行こう。

わたしが指摘したいのはこの条項に国家の障害誘発に対する責任が全く込められていないという点だ。最低限の暗示もない。ある障害をもつ人びとが国家の政策や制度ゆえに、つまり物理的空間の設計から、教育、文化、労働などと関連した制度的設計によって「障害化される（disabled）」という考えがない。ただ疾病、老齢などと並んで、何らかの不運や運命のように羅列しているのみだ。

もしある人びとが国家の差別的設計によって障害化されるという認識があるならば、国家は責任を認め、ただちに是正措置をとるであろう。しかし憲法の条文には障害誘発者としての国家は考慮されておらず、障害者に対する救援者、障害者を助ける慈善家としての国家のみが現われている。

もう一つの先入観は障害者の権利を「社会的基本権」としてのみ認識することだ（この問題は障害学研究者であるキム・ウォニョンが「障害者運動が発明した権利とそれに対する司法体系の受容に対する研究」〔『公益と人権』、二〇一〇〕ですでに指摘している）[*8]。二〇〇一年、障害者移動権連帯が提起した憲法訴願に対する憲法裁判所の判例が代

＊7　韓国では障害者を「障碍人」と呼び、障害「者」という表現は用いない。

＊8　このキム・ウォニョンの論文は次の書籍で再構成されている。キム・ウォニョン、五十嵐真希訳『誰も私たちに「失格の烙印」を押すことはできない』小学館、二〇二二、二二七頁以下。

表的だ。この判例によれば「障害者の福祉」は「社会的基本権」に該当する。しかし「社会的基本権」は国家がただちに是正しなければならない「自由的基本権」と異なって、国家が到達すべき「目標」のようにみなされる。憲法裁判所の判決文によれば、「障害者福祉」は「国家の目標」として、他のいろいろな目標や課題とともに検討しなければならないものだ。それゆえ「最優先的配慮を要請できない」。二〇〇七年のソウル中央地裁の判決文も二〇〇一年のこの判例を引き継いだ。この判決文によれば、障害者の便宜施設設置および管理は「社会生活参与と福祉増進のために国家が具現してやらなければならない社会的基本権の一部分にすぎない」のだ。

要するにこの諸判例は次のような思考の図式で構成されたのだ。「障害者の権利は福祉の問題であり、福祉は社会的基本権に該当するが、社会的基本権は国家が「目標」として追及するものなので、ただちに最優先的に処理すべきものではない」。裁判所は障害者の生をまるごと社会的基本権という見地でのみ見ているわけだ。

実際「社会的基本権」という言葉は憲法の条文にはない。ただ憲法的権利に対する法律家たちの通常的解釈によるものだ。この解釈によれば、憲法的権利は大きく

「自由権」と「社会権」に分かれる。「自由権」は消極的権利であり、憲法裁判所の判例によれば、これが問題になるのは国家が「侵害者としての地位に立つ場合」だ。自由権は国家の安全保障や秩序維持、公共福利など極めて例外的な場合を除いては決して侵害されえない基本権だ。身体の自由、良心の自由、居住移転の自由、言論・出版・集会・結社の自由、職業選択の自由、宗教の自由などがこれに該当する。国家が充分な要件を備えもたないまま、このような基本権を制限した場合には、「その侵害の程度がたとえ小さいとしても憲法に違反する違憲的処置」を行ったものとみなされる。

その反面、「社会権」は国家が積極的に保障すべき権利だ。国民が享受しなければならない基本的な生の水準を国家が保護し保障すべきだという認識から生じた諸規定だ。ここでの国家は侵害者ではなく保障者ないし保護者だ。ところがこの場合、憲法裁判所は「その保護の程度が国民が望む理想的水準に及んでいないからといって」憲法違反だと判断するのは困難だと述べた。これは政治・経済・社会・文化の与件と財政事情を勘案して判断すべき問題だということだ。

障害者たちの移動権の要求が「理想的水準」に対する要求なのかどうかは言いた

くない（それでも裁判官たちの無感覚は指摘しておかなければならない。物理的移動手段と介助制度が用意されていないがゆえに数十年のあいだ、家と施設に閉じこめられていなければならなかったり、小さな火災や寒波でも体を動かすことができずに生命を失ったりする「残酷な現実」を打開してくれという要求を、かれらは国家保護が「理想的水準」になることを要求することだと簡単にはねつけた）。わたしがここで問題にしたいのは、非障害者の生においては当然出発点になる諸権利が障害者には到達点としてみなされるという点だ。

非障害者たちにとっては国家と関係なくすでに所有したもののように現れる諸権利（それゆえ国家と関連しては侵害だけが問題になるような諸権利）が、障害者たちには国家の努力を通して到達しなければならない理想のように現れる理由は何か。非障害者の自由権獲得が自然状態でなされたわけでもなく（国家状態を前提としない権利獲得は不可能だ）、障害者の権利欠乏が自然状態で起こったわけでもないのに、である（国家状態がいかなる形態をとるかによって、ある損傷は障害化される）。

わたしの考えでは、憲法裁判所の裁判官たちは裁判以前に宣告された判決にしたがっている人びとだ。かれらは判決以前の判決、判断以前の判断という意味の「先入観」の支配を受けている（ドイツ語で「先入観」［Vorurteil］は「裁判［urteil］以前に下された判決」という意味を持つ）。障害を社会と無関係な個人的損傷とみなし、障害問題を福祉問題としてのみ認識することだ。

たとえば身体の自由について考えてみよう。自由権の見地から見て国家は人身を勝手に拘束してはならない。特定の空間に市民の身体を拘束するためには厳格な必要条件を満たさなければならない。そうでない場合、人身拘束はいくら短い時間、いくら快適な場所で行われたとしても、憲法裁判所の判例の文句を借りるならば「その侵害の程度がたとえ小さいとしても」、憲法違反だ。国家はただちにその侵害を止めなければならない。

そうであるならば障害者の移動権制約はどうか。憲法裁判所が身体の自由と違ってこれを社会権とみなしたということは、この二つを全く異なる問題としてみなしたということだ。前者は国家が（あたかも犯罪者のように）個人の自由を侵害したことであり、後者は国家が（あたかもあらゆる場を救うことのできない救護者のように）便宜提供を充分にできなかったことだ。しかし考えてみよう。道路を設計して段差をつくる時、階段を通してのみ地下鉄の移動が可能な経路を設計する時、国家は障害者に移動できないように、何らかの行為をしているのではないか。そのような空間設計自体が障害者たちの人身を限定し束縛する行為ではないのか。「その侵害の程度がたとえ小さいとしても」である。

実際にこのような侵害の程度は決して小さくない。国家が物理的・制度的障壁をつくり、維持し保守するなかで、ある障害者たちは令状なしで数十年を家や施設で閉じこめられて過ごさなければならなかったからだ。これは単純な「放置」ではなく積極的「追放」だ。わたしが言いたいのは国家がどのように人びとをこのように生きるよう「放置」していたのか、ではない。それ以前に国家がどのように人びとをそのように排除し追放し拘束する障壁を立てつづけ、維持し、保守できるのか、ということだ。

憲法裁判所の判決に反対し、わたしは障害者の権利が国家が積極的に進みでて保障すべき社会権であるだけでなく、国家がその侵害をただちに中断すべき自由権でもあると言いたい（障害者の生はこの二つの分割がそもそも不可能だということを語ってくれるものでもある）。国家に障害者を助けず何をしているのかという以前に、障害者をそのような状況に追いこんだ行為、障害者をそのような状況のなかに閉じこめる行為を中断せよということだ。

障害者の基本権のうち、相当数が自由権でもあるというのは、障害問題に対して国家が介入してはならないという意味ではない。その反対だ。これは行動に対する要求だ。国家が止めることをすべきだ。いますぐ人びとを障害化することを止める行動をすべきだ。障害者の基本的権利を侵害してきた障壁を即刻潰さなければならず（現行的侵害の即刻的是正）、障害を発生させる障壁を予防しなければならない（予見された侵害の中断）。これは「その侵害の程度がたとえ小さいとしても」、他の自由権侵害の場合のように、即刻是正しなければならないことだ。

身体の自由のみならず、自分が望むところに居住したり移住したりすることのできる自由、職業を選択できる自由、私生活を持つ自由、集会と結社の自由まで、憲法裁判所は障害者にこれらの権利を保障することをわたしたちの社会がいつか到達すべき「理想」のように語ったが、これらは全てただちに是正を要求する諸権利だ。国家はいますぐに、このあらゆる自由権の侵害を中断することを始めなければならない。

ある脱施設障害者の解放の経済学

「かごに／野菜を入れて／果物を入れて／二万ウォンくらい／レジに行ってみると／五万ウォンくらい／果物戻し／野菜戻し／ツナ缶は残して／ご飯は食べないと／ツナ缶、コチュジャン、ごま油は／切れたらだめ」。たんぽぽ障害者夜学のシン・ギョンスさんが書いた詩「必ず買わなければならないもの」（障害と人権足元行動企画『わたし、ともに生きる』五月の春、二〇一八、一〇八頁）だ。かれは三歳で派出所に託された後、三〇歳になって脱施設自立生活をはじめた重度障害者だ。脱施設障害者たちのインタビュー集でかれのインタビューと詩をいくつか読んだが、引用した詩もここで読んだものだ。

わたしが印象深く読んだのはかれの経済学だ。計画した予算を超えるや、かれはレジの上に乗せたものを一つずつ戻していく。ところが果物と野菜は戻しても最後まで死守する材料がツナ缶、コチュジャン、ごま油だ。かれはご飯にツナ缶、コチュジャン、ごま油を入れて混ぜて食べるのがとても好きだという。障害者受給費が所得の全てであるかれとしては支出計画を慎重に組まなければならない。とりわけ食材は支出項目のうち最も比重が大きいものなので特に気を遣わなければならない。

しかし食材購入と関連し、かれは栄養学よりは存在論の支配を受けているように見える。食材購買が自分の栄養状態よりは存在確認のように感じられるからだ。ツナ缶、コチュジャン、ビビンバはかれが探しだした「わたしの食べ物」だ。もちろん数十年間を過ごした収容施設でも「食べ物」はあった。しかしそれは「食べ物」であって「わたしの食べ物」ではなかった。

食べ物だけではない。施設には多くの部屋があるが、わたしの部屋はなかった。同じふとんを使う人は多いが、わたしの恋人や家族とともにではない。習慣ですらそうである。ここには全ての人の習慣があるがわたしの習慣はない。みんながみんなの時間に寝て、起きて、服を脱いで風呂に入る。そしてこのようにして一日、一月、一年、一〇年を暮らせば、記憶すらみんなの記憶になる。そこに収容された人びとにとっては同じことだけが起こるからだ。名前はわたしのものだというが、あたかもわたしが去った家にかかっている表札のようなものだ。いわば、施設は「わたし」を殺す場所、「わたし」の絶滅収容所だ。

施設を出た後にギョンスさんは自分の食べ物を探した。「どんなものを食べればお腹をこわすのかもわかりましたよ。ケーキは食べたらすぐ下痢します。チャンポンの辛いやつは食べたことがなかったんですが出てから食べてみて。カレーも施設ではいつだったか一度食べてみたことがありますが、出てからは思う存分つくっています（笑）。（……）豚キムチは施設では食べたことがなかったんですが、出てきて食べてから大好きになって、今では一番よく食べる料理になりました」（一〇九―一一〇頁）。お腹をこわす食べ物に出会ったのも、美味しい食べ物に出会ったのと同じくらいうれしかったようだ。わたしが「わたし」に出会うことだったからだ。

「こう見えてもわたしは米を買って食べる男ですよ」（一一〇頁）。米の問題になればかれの経済学は財政学とほとんど関係がなくなる。脱施設後の三年間、かれは住民センターでくれる米「ナヌミ」〔「分かちあう米」の意味〕を食べていた。一か月の受給額が六五万ウォンだったのだが、家賃で月に四〇万ウォンが出ていき、管理費で一五万ウォンを払わなければならない。だから一〇万ウォンで一か月をやりくりしなければならなかった。受給費が生活どころか生命を脅かす水準だったのだ。だから仕方なく「ナヌミ」だとしてもありがたなく食べなければならなかった。

しかし今では受給費が九五万ウォンに増え、家賃は一五万ウォンに減った。確実にその時よりよくなった。しかし一か月八〇万ウォンが、余裕をもって生活できる額ではないのは明らかだ。かろうじて食いつないでいた段階が多少緩まった程度であろうが、かれはただちに米を買うという蛮勇をふるった。財政的には破綻的行動であるのは間違いないが、存在的には自己定立的な行動である。

「わたしは米の味を見わけますからね！　これが大事です。（笑）」（一一一頁）。これがかれの経済学だ。消費においては栄養に対する考慮が不足し、支出においては財政に対する考慮が不足している。しかしかれは栄養獲得や財産獲得よりも「わたし」の獲得が重要だと考える人だ。

より印象深いのは時間の経済学だ。「夏休みや冬休みにも集会に行かないと／だからなくさなければ／家にいて何をする？／活動たくさんしないと／時間を逃したらいけない／時間がもったいない／なぜなら／来年に高卒検定を受けるから」（一一三―一一四頁）。かれの詩「夏休み冬休みをなくさなければならない」から引いたが、高卒検定を準備するために時間に空きがない様子だ。しかしこのような状況のなかでも絶対に減らさない時間があるのだが、まさにそれが集会に行く時間だ。

重度脳性まひ障害者であるかれは介助者サービスを利用する。かれに割りあてられたサービス時間は月に四八〇時間だ。この時間は言葉通りに生命の時間だ。介助者がいない時間とは、誰かにとっては手足がなく誰かにとっては目がない時間だ。実際に介助者サービスを受けられない時間に火事が起こり、鼻の先にあるドアを開けられずに死ぬ障害者がいたし、冬季のボイラー凍結のような些細な事件で生命を失う障害者もいた。

しかしかれはこの生命の四八〇時間を計画し、一〇%にあたる四八時間を予め控除する。急に入る座り込みやデモに参加するためだ。毎月控除するこの四八時間が、わたしが考えるにかれの経済学の最も根本的な公理だ。レジで最後まで生き残ったツナ缶、コチュジャン、ごま油と、ナヌミではなく一般の米を買うこと、夜学の勉強時間、この全てのものを支えているのがこの四八時間の精神であるからだ。解放の時間の前に解放のための時間を控除しておくこと。これがある脱施設障害者の解放の経済学だ。

わたしの友人、ペーターの人生談

わたしの友人ペーター、かれは声が本当に大きかった。喋るのが獅子吼《ししく》を吐くようだった。作家のウンユはかれについて「子を産むように」喋ると述べたが、本当にそうだった。かれが全身をねじって送りだす言葉は、鳴き声を爆発させて世界に出てきた子どものようだった。その声は、ノドゥル障害者夜学の最初の授業の時に雰囲気に押し殺され、白旗をあげて投降する直前だったわたしを生かしてくれた支援軍でもあった。「おい、こりゃありえんね！」かれが合間合間に入れてくれる合いの手がわたしにとって本当にありがたい歓迎のあいさつだった。

わたしの友人ペーター、かれが一番苦しんだ科目はハングルだった。福祉館で学びはじめて二〇年やったというが、依然として文章を読むことを難しがった。一文字なら声を出して読むことができるが、単語になり、文になると最初に読んだ文字がお尻からスルスルと抜けはじめ、文章の最後になると事前に読んでおいた単語と文章が全部逃げてしまってないと語った。重い難読症だったのだ。そのようなかれが哲学を勉強できたのは卓越した聞く力のおかげだ。かれは読むことはできないが聞くことはできた。そして耳を通して入ってきたものは不思議なことに記憶に根を下ろし、しっかりと育った。それゆえ誰かが声を出して読んでやりさえすれば、哲学書も容易に読みとくことができた。

わたしの友人ペーター、かれは作家になりたがった。実際かれはよい作品を一つ書いた。「国会議員に寄せる報告」という文章であるが、とても名文だ。カフカの小説「あるアカデミーへの報告」を借用したもので、二〇〇字詰原稿用紙で二〇枚ほどの短い人生談だ。遅ればせながらこの人生談を読んだ時、わたしはかれが「赤いペーター」であるに違いないと思った。しかしわたしがその名前で呼ぼうと決心した時、かれはすでにその文章と同じくらいの短い生を閉じてしまった。

わたしの友人ペーター、かれは酒を本当にたくさん飲んだ。それは二発の銃弾ゆえだ。その点でもカフカのペーターと同じだった。猿のペーターは猟師に二発の銃弾を撃たれたが、一発は顔をかすめ赤い傷を残し、もう一発は臀部に刺さって死ぬまで足をひきずることになった。一発目の銃弾が「赤いペーター」という名前を与え（人びとがその赤い痕跡だけに注目したがゆえに）、二発目の銃弾はかれを足をひきずって暮らすようにさせた。わたしの友人ペーターも二発の銃弾で「障害者」という名前と「ひきずる」人生を得た。ただかれはカフカのペーターと違って二発とも胸に命中したという。障害者のくせにでしゃばっていると一発くらい、足をひきずっているくせに大声で笑うからとまた一発くらった。胸をそのように貫通したので酒を飲んでも溜まるようではなかった。だからずっと注ぎこんだようだ。

わたしの友人ペーター、かれが撃たれた後に目ざめた場所もカフカのペーターのように箱のなかだった。一九歳になってから精神が戻ったというが、その時までは箱のような部屋の隅に閉じこめられて過ごした。なんとか精神を取り戻した後、福祉館から出はしたが、箱の大きさが変わっただけで、閉じこめられたと思ったら解きはなたれて、というような生は変わらなかったという。安全だといって箱みたいな場所に閉じこめておき、障害者の日になればオリンピック公園でしばらく解きはなたれ、またバスに乗せられ福祉館で解きはなたれ、というふうであった。

わたしの友人ペーター、かれには出口が必要だった。世界をあちこち飛びまわる自由みたいなものには関心もなかった。曲芸師のように空中ブランコをこいで飛び、相手の胸に飛びこむ曲芸のような自由はいらないと述べた。自分の思いどおりに行動する自由を望んだのでもない。「むやみやたらと」行う自由というやつが何であるかは身震いをするほどよく知っていた。それは自分がずっと被ってきた暴力の別名だったからだ。自由より大事なものは出口だった。切実な人、息が詰まる人にとっては、出口だけが自由のまともな名前だった。

わたしの友人ペーターー、かれはとうとう夜学に出口を探しだした。勉強もデモもおもしろくはなかったが、確実なのは酒の味が変わったことだと言った。かれは箱のような家と福祉館から出てしまった。家の外に出るのは怖かったが、しきりに「たてついた」という。介助者もいなかった時だったので、多少無謀な脱出だった。そうして夜学の授業でわたしと出会った。正確に言えばニーチェと出会った。かれはニーチェを読んで「おい、こりゃありえんね」を連発した。わたしが米国で暮らしている時、夜学教師の一人がかれの近況を教えてくれた。「他のことはしないが、必ず哲学の勉強をしたいのだと酒を飲んでくだをまいている」と。

わたしの友人ペーターー、かれは自ら勉強して出口を探しだした。政治が自分を物乞い扱いするならば、この機会に堂々とした物乞い根性を発揮してみたい、と。政府を相手に自分がやりたいことを勝ちとり、一人前の障害者にならなければならない。そして、かつては貧しかろうが貧しくなかろうが一人で生きていくと考えていたが、勉強をしてからは具体的にはよくわからないが、少なくともともに生きるということが何であるかをわかるようになった。そしていつか自分が走ったり飛んだり踊ったりするだろうが、いまは立ち上がる方法、歩く方法から学ぶのだ、と。かれはそれを童話で書いてみたいと語った。

わたしの友人ペーター、かれは目立つ性格を隠さず、酒もあおりつづけ、何よりも屈しなかった。酒席でかれの不便に見える素ぶりを意識する人にはこのように一喝することもあった。「食べ物をこぼしたら拭けばいい。でもなぜおれがおれの手で食べることを止めないといけないのか」。

まさに昨年の今ごろだった。わたしの友人ペーター、かれは胸の傷跡がもうしびれないのか、童話はどれくらい進んだのか、ともに生きるということは何なのかについて何も語ってくれることなしに、ただふらりと去ってしまった。わたしの友人ペーター、かれの名前はキム・ホシクだ。

キム・ホシクを追悼し――二周忌追悼式の場で（二〇一八年四月七日）

かつては結婚式に行くのが好きだった。互いに他人だった人びとが、恋人に、夫婦になるその神秘な過程が好きだった。人の縁は錬金術とでも言えるだろうか。あたかも金が誕生するように、人間たちの関係、人の縁が誕生することを目の前で見るのが好きだった。

そうしていたなかで、いつからか結婚式には行かず葬式にのみ行くようになった。人が人を得る華麗な瞬間より、人が人を失う瞬間、ある人がすっと抜けてしまうその場所が大切だということを知ったからだ。その空席はただ「ある人」ではなく「わたしのその人」がここにいたことを語ってくれるからだ。その空席が真なる人の縁の場だと考えた。本当に、人の場所は空席だと考えた。

しかしまたいつからか結婚式にも葬式にもほとんど行かなくなった。そっけなくなったからではなく、喜びも悲しみも手に負えなくなったからだ。それでもいまこの人、この友、キム・ホシクさんの遺影に結局一言捧げるためにここに立った。わたしにも抱きかかえているかれの空席があるからだ。

二年前、かれがこつ然と去った時、なぜそんなに急に去ったのかはわからないが、ともかくそれと同じくらい急ごしらえで設けられた追悼式場に、かれの遺品だといって置かれていたものがあった。床にはかれが使っていた車いすと履いていた靴があり、壁にはかれが書いたという文章が書かれていた。そして何冊かの本。それを見た瞬間泣きそうになった。わたしは壁にかかったかれの文章のほとんどの出典を知っている。わたしたちの縁がその出典だった。机に置かれた五〜六冊の本はほとんど哲学授業の教材であり、そのほとんどはわたしの本だった。本が一冊一冊並べられているが、ふとそれが足跡のように感じられた。わたしに声をかけるために近づいてきたかれの足跡……。

わたしがノドゥル障害者夜学に初めて来たのは二〇〇八年ごろだった。研究空間スユ＋ノモとノドゥル夜学が月例人文学プログラムを二年間行った。そしてキム・ユミ先生の努力で火の車組（中等クラス）の国語の授業時間を通して哲学科目が正規教科として編成された。最初の授業の時、あまりにも緊張した。その授業はわたしがあちこちで行ってきた授業や講演のなかで最も大変だった。あまりにも静かだった。物理学的には真空が最も軽いが、人文学的には沈黙が最も重い。ニーチェを紹介する最初の時間、虚空に声を叫ぶばかりで、今更の告白だが、哲学授業を放棄すると告げるかもしれないと考えていた。

ところが二週目にわたしを救ってくれた巨大な声の主人公がホシクさんだった。窒息しそうな静寂を切り裂いてくれた人、それゆえわたしの喉を開いてくれた人がホシクさんだった。かれは全身を絞って大声を出してくれた。「おい、こりゃありえんね!」当時のわたしにはそれが福音だった。おい、こりゃありえんね。おかしなことに、この声は今でもわたしの耳で完全に再生される。

ふと学生たちの生を知らないままでは授業進行の意味がないという気持ちになった時、酒を飲みながら自分の話を最初に語ってくれた人がホシクさんだった。幼い頃、兄に殴られながら辛い暮らしをしたという話から始まったが、おばあさんが語ってくれた昔話に対するなつかしさで、またおばあさんのようによくできた話をつくりだす童話作家についての夢で、かれは話を閉じた。

共同体が壊れた後、わたしが米国に逃避的に出国をした時、勉強に懐疑を抱き、ともすればノドゥル夜学に行くことも辞めるかもしれなかったその時、「他のことはしないが、必ず哲学の勉強をしたいのだと酒を飲んでくだをまいている」という知らせを、キム・ユミ先生を通して伝えてくれたのもホシクさんだった。

またわたしが魯迅を哲学授業で扱うと言った時、最も呼応し、最も熱心に聞いてくれた人もかれだった。かれはニーチェを講義した時にはニーチェを好きになってくれたし、魯迅を講義した時には魯迅を好きになってくれた。かれは哲学を講義した時には哲学を好きになってくれ、文学を講義した時には文学を好きになってくれた。

かれはノドゥル夜学の敷居を越えてわたしが活動していたスユノモRにも来た。読書会をするためだった。解放村《ヘバンチョン》の急な坂を登って来て、車いすの接近が不可能な、二階の階段をクライミングするように登ってきた。

考えてみれば、かれは休むことなく哲学の場、文学の場に向かって近づいてきた。酒でくだをまきながらもそうやって近づいてきた。わたしが心をとんでもないところにめぐらしている時にも、かれはわたしに言葉をかけつづけた。そうしてふと顔を向けるとかれは、わたしに限りなく近づいてきていたかれは、空席だけを残したまま、こつ然と去ってしまった。

いまわたしはようやく「国会議員に寄せる報告」という文章と、かれが描いてくれた一枚の絵を手にしている。そしていまわたしはつかむこともできず、ただぼんやりと眺めることだけができる、ある日には限りなく大きくなり、ある日にはしばらく忘れもする、そのようなかれの空席、かれに対する懐かしさだけを抱いている。

こんな日は、来世について何も信じていないが、そんなものがあれば本当にいいなあと考える。そうでないならば、心のなかにいる人を外に一度取りだしてみることでもできればいいのに。かれがどこかでどうかよろしく過ごしていることを願う。

エピローグ　終わりが未完である理由

1

二〇一五年八月一〇日、〔ノドゥル障害者夜学での〕哲学の最後の授業日だった。日程的な最後でもあったが、わたしの個人事情で休職に入ったので、わたしの授業の最終日でもあった。一年間学生たちと魯迅の雑文を読んできたが、授業を終えるという思いで不要な力が入った。講義を始める時から言葉がもつれはじめた。今日が最終日であり、魯迅がどうであり、個人事情がこれこれであり云々とやっていると、授業を聞いていたサンヨンさんがいきなり聞いた。「生きることとは何ですか？」

サンヨンさんが哲学授業に初めて来た日が思いうかぶ。火の車組（中等クラス）の授業をしていた時、青松組（初等クラス）の先生の事情で合同クラスで授業をすることになった。その日、サンヨンさんは火の車組の授業に入ってきた青松組の学生だった。その日、授業が終わった後に廊下でサンヨンさんがわたしに問うた。いま、どちらも放棄できない、二兎を追っているのだが、どのようにすべきかと。その時わたしは二兎のうち一つを捕まえてきたら答えようと言った。サンヨンさんは笑いながら哲学授業を聞きつづけられるようしてくれと言った。

最初、哲学授業は火の車組の国語科目として編成された。読書教育の名目で哲学や文学方面の本を読むという形で運営した。哲学授業が火の車組の国語授業ではなく、あらゆる学生が選択して聞ける全体選択科目になったのには、その日の青松組との合同クラス授業の影響が大きかった。文章読解自体を難しく思ってきた青松組の学生が哲学授業を聞くことができるならば、他の組の学生たちも充分にそうできるからだ。

サンヨンさんはそのようにして一学期のあいだわたしの哲学授業を聞いた。そして最後の日、再びわたしを急襲するように聞いたのだ。「生きることとは何ですか?」

2

この日わたしが準備していた資料は、魯迅が死の数か月前に書いたものだ。二篇の文章を読んだのだが「「これも生活だ」……」と「死」だった。魯迅が死の近づきを予感しつつ書いた文章であるが、二篇ともこの一年間の魯迅読解を終えるために適切だと考えて選択した。

一つ目の「「これも生活だ」……」において魯迅は自分が長い間病いに苦しんだ後に新しく見えた日常について語った。本当にいっときは何も食べたくなく、喋りたくもなかった、と。一言で言って無欲の状態に陥っていたという。おそらくこのようなものが「死に至る第一歩」ではないか、かれはそう書いた。しかししばらく経って体が好転し、水も飲みたくなり、部屋にある本の山や壁に視線が行くようになったという。普段は休息をかねて見ていたもの、生きることに特に価値がないと考えていたものたちが、ふと大きく迫ってきたようだ。

水を飲み、物を食べ、愛するものたちと些細な話を交わすこと。魯迅は素晴らしい戦士たちにもそのように「ただ」食べて飲んで楽しむことが必要だと述べた。戦士だからといってスイカを割る時ごとに「裂かれた祖国」を思いうかべなければならないわけではない。ただ、そのまま、美味しくスイカを食べればいいのであり、胃腸障害を生じさせる考えを食べ物に重ねる必要はない。スイカ一切れを楽に食べられない人がどの体力で敵と戦うというのか。「実は、戦士の日常生活は、全部が賛歌と感動の涙に値するのではない。ところが又、賛歌と感動の涙に値することに、例外なくかかわりがあってこそ、現実の戦士なのであろう」[*1]。

急進的であるが焦りがない。この文章の魯迅は断固としているが黙々としており、むしろ断固であるがゆえに余裕がある。死に臨んだ瞬間に、平凡で些細なものを指して、「これも生だ」と言うセリフは胸にくる。

二つ目の「死」は、かれが医者に「余命がほとんど残っていない」という宣告を受けた後、遺言を残す気で書いた短いものだ。家族に七つの求め事を書いたものだが、たとえば妻には葬式のため、誰からも一文も受けとってはならない、急いで納棺し、埋葬し、片付けてしまうこと、わたしを忘れて自分の生活に専念すること、子どもが大きくなり、才能がなかったら、小さな仕事を探して暮らしていくこと、決して、名ばかりの文学者や芸術家になってはならない、などだ。そして幼い息子に対しては、「他人が約束したことを、あてにしてはいけない」だとか「他人の歯や目を傷つけておきながら、報復に反対し、寛容を主張する人には、決して近づくな」[*2]といったことを求めている。全て魯迅らしい遺言だ。最後にはこのような言葉も記した。ヨーロッパ人たちは臨終の時にあらゆる恩讐を整理し、互いを許し、許しを求めるというのだがどうするべきか。「こう決定した。かれらに怨ませておけ。わたしも一人だって許しはしないと」。[*3] これもまた、魯迅がどのような人かをよく示してくれる。

この二つの文章を読んでから、わたしは学生たちに死を予感した時に何をするかと聞いた。ヨンエさんとユリさんは「思う存分旅行をしてみたい」と言い、ジュンスさんは「やりたいことを思いきりやる」と言った。意見は全て似たものだった。黙って生を終えたいという人は誰もいなかった。

生きてきたなかでしてみたことのないことがあまりにも多い人びと。韓国社会では「障害者として生きてきた」という言葉には「したことがないことがあまりにも

＊1　魯迅、今村与志雄訳「「これも生活だ」……」『魯迅全集』八巻、学習研究社、一九八四、六七七頁。
＊2　魯迅、今村与志雄訳「死」前掲、六八八頁。
＊3　前掲、六八八頁。

多い」という意味が込められている。学生たちにとって、死はあまりにも無念なことであろう。「死について質問したのに、これほどまでに生に対する渇望が強いのか……」。わたしがぼやくように言ったらみんなが笑った。ノドゥル夜学の力と意志はおそらく生に対するこのような渇望から生まれたのではないかと思う。ノドゥル夜学の学生たちは生に対する渇望があまりにも強く、死ぬ時まで死を考えられない人びとのようだ。

3

実際最後の授業日に読んだ魯迅の文章は、かれが最後に残したものではなかった。「死」の最後の部分を書いた後、魯迅は自分がまだ死んでおらず「本当に死ぬときは、こういう思いさえも浮かばないのかもしれない」[*4]と述べた。本当にかれが最後に書いた文章は「太炎先生から想い出した二、三の事」であるが、完成させることができなかった。文章を書いている途中で倒れて病院に運ばれ、そこで死んだ。

魯迅の最後の文章の主人公である章太炎（章炳麟）は清から中華民国へと至る時期の革命家であり学者だ。清の政府に追われていたかれは日本へ逃れたことがあるが、魯迅は日本留学中にかれの講義を聞いた。魯迅の最後の文章は、太炎先生がいかなる人なのかも見せてくれるが、なによりも魯迅が人や事において何を大事と考えるかがよくわかるものだ。たとえば太炎先生は呉稚暉という人物を酷く非難したことがある。呉稚暉は太炎と同じく日本で反清運動を繰りひろげていた人物だった。かれは頭に白い包帯を巻いて演説し（デモ中に傷を負ったことを見せつけるように）、中国に送還された時は途中で〔宮城《きゅうじょう》の周辺の〕濠に飛びこみもした。魯迅によれば太炎はその時呉稚暉が飛びこんだ濠はそう深くもなく、ただちに護送警察が引きあげるに決まっていたと非難したという。太炎はそのように誇示的で騒がしいスタイルの革命家を信頼しなかったようだ（呉稚暉は後に国民党内で共産主義者たちをあぶりだして射殺した「清党運動」の中心人物になった）。

この文章で魯迅は太炎とともにもう一人、後に孫文とともに辛亥革命を起こし革命軍を率いた黄克強〔黄興〕の話をしている。のちに優れた革命家になったこの人物は、日本にいた時、反清運動を繰りひろげつつも、辮髪を切らなかったという（魯

＊4　魯迅、今村与志雄訳「太炎先生から想い出した二、三の事」、前掲。

迅によればむしろ辮髪を切って反清運動を繰りひろげていた留学生のうちの相当数は帰国後ふたたび辮髪を伸ばして清の忠臣になった）。黄克強は声高に革命を叫びもせず、なにかとてつもない抵抗的気質を見せることもなかった。魯迅の記憶によれば、かれが抵抗的な姿を見せた場面がたった一つあるのだが、それは日本人学監が学生たちに腕をむきだしにしてはいけないと注意した時、かれが上半身裸になって洗面器を持ち、風呂場から自習室へと歩いていったことだ。

だが、この笑いを醸しだす光景、いわば黄克強が上半身裸で自習室へとのしのし歩いていく姿についての描写が魯迅の最後の文章だ。かれがこの後にどのような文章を書きつづけようとしたのかはわからない。しかし辮髪を切りもせず、革命を声高に叫びもしなかったが、革命家の道を黙々と歩いていった黄克強を思いうかべれば、魯迅がなぜこのような話をするのか推測できる。魯迅はその前にも請願や絶叫、血書ではなく「酷烈な沈黙」[*5]を恐れなければならないと教えてきたからだ。

ともかく魯迅という偉大な作家の最後の文章は画竜点睛、つまり絵のなかの竜に生命を宿らせる素晴らしい終わり方ではなかった。上半身裸で自習室へのしのし歩いて行った一人の男。魯迅はそこまで書いて生を終えただけだ。しかしもう一度考えてみれば、その洗面器を持つ上半身裸の男こそ、戦士と革命家の真価ではないか。さらにこの文章が「完成」ではなかったという事実は、最後の授業時間に何か特別なことを話そうとしたわたしを恥ずかしくさせる。なぜかれの最後の文章は未完なのか。なぜ偉大な思想家たちの作品は未完なのか。それはかれらが最後まで書いたからである。終わらせる文章を書くのではなく、最後の瞬間まで書いていたからだ。

4

ヨンエさんは魯迅講読を振りかえって「行人」が最も記憶に残ると言った。そう言われてみるとこの作品は「終わり」に対する魯迅の視角がうまく込められた文章でもある。どこからなぜ来たのかも知らず、どこへ行くかも知らないまま、ずっと歩いていく行人。その作品のなかで行人は、ある老人に道の先に何があるかを聞く。そうすると老人はその先には墓があるだけだと答える。

＊5　魯迅、中川俊・是永駿訳「雑感」『魯迅全集』第四巻、学習研究社、一九八四、六四頁。

わたしたちもみんな知っている。わたしたちの人生の果ては「墓」だということを。しかしそれがどうしたというのか。わたしたちはまだ終わっておらず、わたしたちはずっと歩いており、こんなふうに歩きたいのに、である。生がなんであるかについて語る哲学者は生に対する真実ではなく、生に対するかれら自身の態度を見せてくれるだけだ。生がなんであるかとごう慢に語る哲学者たちもまた、死んでいない時にその言葉を言った(死んだ後にどんな言葉を言えるというのか)。かれらは、ニーチェの言葉のように、全て「生のなか」にいたのだ。わたしたちみんながそうだ。わたしたちはみんな「生のなか」にいるだけだ。生とは評価するものではなく生きぬくものだ。ただわたしたちは実験し試みるのみだ。わたしたちは果てを貫通するやり方でのみ果てに至るだろう。

「生きることとはなんですか?」と聞いたサンヨンさんに、あなたはどう考えるかと聞いた。サンヨンさんは「わたしが今生きてるじゃないですか。こんなふうにやっていること、それがまさに生ですよね」と笑って答えた。そうだ。わたしたちは歩いている。

訳者あとがき

本書は高秉權《コ・ビョングォン》『黙々――沈黙と空席で出会った学びの記録』（トルペゲ、二〇一八）の翻訳である（고병권『묵묵――침묵과 빈자리에서 만난 배움의 기록』돌베개、2018）。

高秉權の日本語訳としては『哲学者と下女――日々を生きていくマイノリティの哲学』（今津有梨訳、インパクト出版会、二〇一七）以来の二冊目である。個別論考の翻訳としては二〇一〇年前後に『インパクション』、『現代思想』、『VOL』などの雑誌に何度か掲載されたことがあり、『歩きながら問う――研究空間「スユ＋ノモ」の実践』（金友子編訳、インパクト出版会、二〇〇八）にも論考が訳出されている。高秉權は複数のニーチェ論やマルクス『資本論』講義をはじめとする哲学書も出しているが、本書『黙々』は『哲学者と下女』の延長線上にあり、哲学的な切り口から社会に介入していく時評である。この二つの日本語訳書籍に共通する話題として、ディオゲネスや魯迅といった人物、ノドゥル障害者夜学や研究空間スユ＋ノモ、そして研究空間スユ+ノモ解体後のスユノモRとスユノモN、そしてスユノモ104などの空間がある。これらに関して日本ではあまり知られていないとはいえ、日本語で読める論考もある。研究空間スユ+ノモの分裂については、尹汝一「生のための死」（金友子訳『インパクション』一七八号、二〇一一）が内部にいたものとしての省察であり、李珍景『無謀なるものたちの共同体――コミューン主義の方へ』（今政肇訳、インパクト出版会、二〇一七）が経験を思想へと押しひらいており、共同体やコミューンに興味のある方は参照していただきたい。また、ノドゥル障害者夜学の精神については朴敬石「障碍者運動の一〇年――テス一〇周忌に我が同志を思いつつ」（金友子訳『インパクション』一八五号、二〇一二）がある。本書（二一三頁）でも参照されたキム・ウォニョンの著書は二〇二一年にいくつか日本語訳されており、とりわけ『だれも私たちに「失敗の烙印」を押すことはできない』（五十嵐真希訳、小学館、二〇二二）は、本書をより立体的に理解するために併読に値するであろう。

韓国社会に対する言説は日本語でもあふれかえっている。しかし政治的立場を鮮明にしながら運動の側から社会に介入する高秉權の議論は、そのなかでも明確な現代韓国社会批判として読むことができる。また、韓国に限らずマイノリティ論としても参照できるだろう。安易な希望でお茶を濁すよりも、自らの挫折の体験も含め、きちんと絶望を直視する点も本書の独自性だ。あらゆる希望や根拠が没落する地点、根拠が根拠なしを露出する地点を明らかにしていくという方法は、『黙々』では権力者の「根拠」を引きはがす作業として、いたるところで繰りひろげられている。これは、題名からもはっきりしているように、あらゆる根拠と根底を問うていく『アンダーグラウンド・ニーチェ』（千年の想像、二〇一四）の方法でもある（『アンダーグラウンド・ニーチェ』はニーチェの『曙光』論である）。『哲学者と下女』や『黙々』を横から支えている学術的な議論を展開する高秉權の書籍も日本語訳があれば、より議論を深めることができるだろう。言うまでもないことかもしれないが、西洋哲学や思想に関する日本語オリジナルのおもしろい研究や書籍が存在するように、韓国においても高秉權のような論者が存在するのだ。

本書はあまりにも「当たり前」であるがゆえに感じとることが難しい空気を読みとる方法を、つまり社会のマジョリティであればあるほど無感覚になる領域を、さまざまな形式で、さまざまな側面で可視化してくれる。高秉權はマルクスの『資本論』の意義を「搾取に対する科学的解明ではなく搾取に基づいた科学に対する批判にある」と語ったことがある（『もう一度資本論を読もう』第一巻、千年の想像、二〇一八）。マジョリティが読みとれないがゆえに不正と言われたことのない「不正」を、本書は何度も繰りかえし読みとっていく。ノドゥル障害者夜学で知った「言葉よりも先に生じ、もっと言えば言葉を聞く前にも空気を先に読む何かがある。それは言葉を言う前に口びるをふるえさせ、いくつもの穴から汗を押しだす」（本書、二九頁）ものを読みとる実践を、本書は提示してくれるのだ。さらにその実践は、著者自身がマイノリティを代弁してしまった反省とともに提示され、まさにそれは高秉權自身が哲学的議論を深めていく契機と過程であったと語られる。

『黙々』は韓国で二〇一八年に刊行された本であり、それ以降の事情についても触れたい。第一に本書刊行後の高秉權の仕事としては全一二巻にわたる『資本論』（第一巻）講義録の刊行である（千年の想像、二〇一八〜二〇二二）。これは後に一二八〇頁（!）の『高秉權の『資本論』講義』（千年の想像、二〇二三）として一冊で刊行されている。第二に『黙々』の元になった原稿は、ノドゥル障害者夜学の通信に掲載されたものが半分ほどであり、残りの半分は『京郷新聞』の「黙々」というコラムに月に一度のペースで連載されたものだ。そのコラムは二〇二三年現在も連載が続いており、『京郷新聞』ウェブサイトで全て読むことができる。本書刊行以降に連載された文章の書籍化はされていない。第三に本書（三七―三八頁）に登場するチャン・ヘヨン氏は二〇二三年現在、正義党の国会議員（二〇二〇年当選）として活動している。

翻訳に関して二点だけ注記しておきたい。第一に原著にはない注を追加した。注は全て訳者によるものだ。歴史的事項については和田春樹・石坂浩一編『岩波小辞典　現代韓国・朝鮮』（岩波書店、二〇〇二）を参照した。第二に引用文は日本語訳があるものは全て参照させていただいたが、本文の流れを生かすために訳者が手を入れた部分があることを断っておきたい。

訳者は二〇二〇年まで留学生という立場で韓国に住んでおり、スユノモをはじめとする様々な現場で著者の高秉權さんと一〇年以上にわたり持続的に交流する機会があった。定期的に会う機会があったわけではないが、ときおり居合わせるたびに見せてくれた議論のつくり方の鋭さに何度も刺激を受けてきたし、わたしがまとまらない問いを投げかける度に、その問いをより深めるための補助線になるような返事をくれた。本書の翻訳を機会に高秉權さんと日本語読者との新たな出会いが生じれば訳者としてうれしく思う。最後に翻訳過程で些細な質問に丁寧に答えてくださった高秉權さん、そして本書をともに作りあげてくださった長尾勇仁さんに感謝したい。

二〇二三年八月　影本剛

［著者］

高秉權（コ・ビョングォン）

長いあいだ研究者たちのコミューンであるスユノモで勉強や講義を行ってきた。現在は障害者差別に抗って勉強や闘争をする「ノドゥル障害者夜学」と、読むことに熱情を持つ人びとの空間「読むことの家」で活動している。ソウル大学社会学科で「西ヨーロッパにおける近代的貨幣構成体の形成」で博士学位を取得し、これまで二〇年ほど様々なテーマで著書を編んできた。ニーチェに関する研究書に『ニーチェ、千の目千の道』『ニーチェの危険な本、ツァラトゥストラはこう言った』『アンダーグラウンド・ニーチェ』『ダイナマイト・ニーチェ』があり、社会運動と民主主義に関する著書として『追放と脱走』『民主主義とは何か』『占拠、新しいガバメント』などがあり、様々な現場で人文学を勉強しながら浮かんだ悩みを込めたエッセイに『高酋長、本で世の中を語る』『「生きていく」』『哲学者と下女』（今津有梨訳、インパクト出版会、2017）などがある。最近はマルクスの『資本論』を解説した『ブッククラブ資本』シリーズ（全12巻）を刊行した。現在は人間の限界ないし境界としての障害について研究している。

［訳者］

影本剛（かげもと・つよし）

朝鮮文学専攻。大学非常勤講師。韓国語共著に『社会主義雑誌『新生活』研究』『境界から見た災難の経験』『革命を書く』などがある。日本語への訳書にクォンキム・ヒョンヨン編『被害と加害のフェミニズム』（共訳）、金賢京『人、場所、歓待』、李珍景『不穏なるものたちの存在論』があり、韓国語への共訳書に金時鐘『失くした季節』、栗原幸夫『プロレタリア文学とその時代』などがある。

黙々
聞かれなかった声とともに歩く哲学

二〇二三年一一月二〇日　初版第一刷発行

著　者 ―― 高秉權（コ・ビョングォン）
訳　者 ―― 影本剛
発行者 ―― 大江道雅
発行所 ―― 株式会社 明石書店
〒一〇一―〇〇二一　東京都千代田区外神田六―九―五
電　話　〇三―五八一八―一一七一
ＦＡＸ　〇三―五八一八―一一七四
振　替　〇〇一〇〇―七―二四五〇五
https://www.akashi.co.jp

装幀　　大倉真一郎
印刷・製本　　モリモト印刷株式会社

（定価はカバーに表示してあります）
ISBN 978-4-7503-5654-9

ダーリンは・ネト・ウヨ

韓国人留学生の私が日本人とつきあったら

クー・ジャイン 著
クー・ジャイン、金みんじょん 訳
Moment Joon 解説

■A5判変型／並製／176頁 ◎1300円

期待を胸に日本で留学生活を始めた韓国人のうーちゃん。サークルで出会った日本人の先輩いっしーと付き合うことになった。付き合って一ヶ月、いっしーが「きれいな日本語」を喋ってと言ってきたのだけど……。積み重なるモヤモヤの先にしたうーちゃんの選択とは？

内容構成

プロローグ／はじめに

第1章 出会い
新歓／日本語上手ですね／クラリネット(1)／クラリネット(2)／合奏練習／カフェ／夏合宿(1)／夏合宿(2)／ボランティア／闇練／ピンポーン／告白

第2章 気づき
海苔を消化できるのは日本人だけ／世界一難しい言語／カラオケ／宿題／あなたは日本人じゃないから／とはいえ私だって市民です／慣れ／テレビ／執着の始まり(1)／執着の始まり(2)／ツイッター(1)／ツイッター(2)

第3章 見て見ぬふり
大学祭／煙幕／定期演奏会／冬休み／宅飲み／グループワーク／就活／ラーメン／留学支援課／プレストとアンダンテ／面接

第4章 必然
わだかまり／分かれ道／加湿器は常に清潔に／卒演／さよなら／うーちゃん／윤슬／안녕

エピローグ

あとがき／解説

在日という病

生きづらさの当事者研究

朴一 著

■四六判／並製／200頁 ◎2200円

在日コリアン三世として生まれた著者の65年にわたる生活史を、生まれ、結婚、就職、入居から国籍条項、参政権、メディア発信とバッシングなどのトピックで記述。排除と同化を突き付けられる中、受容して生きなければならない「在日という病」の本質に迫る当事者研究。

内容構成

プロローグ――本書の問題意識と分析の枠組み
第1章 二つの名前
第2章 国際結婚のハードル
第3章 学生運動と就職差別
第4章 知の鎖国
第5章 さらば指紋押捺
第6章 入居差別の洗礼
第7章 公立大学への移籍と国籍条項との闘い
第8章 母国留学
第9章 頓挫した参政権運動
第10章 日韓の狭間で
エピローグ

〈価格は本体価格です〉

難民
行き詰まる国際難民制度を超えて

アレクサンダー・ベッツ、ポール・コリアー 著
滝澤三郎、岡部みどり、佐藤安信、杉木明子、山田満 監訳
金井健司、佐々木日奈子、須藤春樹、春聡子、古川麗、
松井春樹、松本昂之、宮下大夢、山本剛 訳

■四六判／並製／336頁 ◎3000円

本書では、90%の難民の留まる周辺国で、難民に就労機会と教育を提供することで難民の自立を推進することを提唱する。難民の自助努力を支援するアプローチ、受け入れ社会への貢献、さらには出身国の再建を可能にするオルタナティブなビジョンを提示した重要な一冊。

●内容構成●

イントロダクション
第Ⅰ部 なぜ危機は起こるのか
第1章 世界的な混沌
第2章 難民制度の変遷
第3章 大混乱
第Ⅱ部 再考
第4章 倫理を再考する ——救済の義務
第5章 避難所を再考する ——すべての人に手を差し伸べる
第6章 難民支援を再考する ——自立を回復するために
第7章 紛争後を再考する ——復興の促進
第8章 ガバナンスを再考する ——機能する制度とは
第Ⅲ部 歴史を変える
第9章 未来への回帰

韓国の公的扶助 「国民基礎生活保障」の条件付き給付と就労支援
松江暁子著 ◎3800円

マイノリティの星になりたい 在日コリアン教師〈本音と本気〉の奮闘記
李大佑著 ◎2000円

韓国・基地村の米軍「慰安婦」 国家暴力を問う女性の声
世界人権問題叢書114 金貞子証言 金賢善編集 セウムト企画 秦花秀訳・解説 ◎4000円

東アジアと朝鮮戦争七〇年 メディア・思想・日本
崔銀姫編著 ◎4200円

韓国経済がわかる20講【改訂新版】 援助経済・高度成長・経済危機から経済大国への歩み
裵海善著 ◎2500円

日韓関係のあるべき姿 垂直関係から水平関係へ
鞠重鎬編著 ◎2800円

韓国福祉国家の挑戦
金成垣著 ◎3500円

残余の声を聴く 沖縄・韓国・パレスチナ
早尾貴紀、呉世宗、趙慶喜著 ◎2600円

〈価格は本体価格です〉